Pensar bem nos faz bem!

Dados Internacionais de Catalogação na Publicação (CIP)
(Câmara Brasileira do Livro, SP, Brasil)

Cortella, Mario Sergio
  Pensar bem nos faz bem! : 1. filosofia, religião, ciência e educação / Mario Sergio Cortella. 5. ed. – Petrópolis, RJ : Vozes, 2015.

  15ª reimpressão, 2024.

  ISBN 978-85-326-4655-2

  1. Ciência 2. Educação 3. Filosofia 4. Religião
I. Título

13-08473   CDD-100

Índices para catálogo sistemático:

1. Filosofia   100

MARIO SERGIO CORTELLA

Pensar bem nos faz bem!

Pequenas reflexões sobre grandes temas

1

filosofia
religião
ciência
educação

© 2013, Editora Vozes Ltda.
Rua Frei Luís, 100
25689-900 Petrópolis, RJ
www.vozes.com.br
Brasil

CONSELHO EDITORIAL

Diretor
Volney J. Berkenbrock

Editores
Aline dos Santos Carneiro
Edrian Josué Pasini
Marilac Loraine Oleniki
Welder Lancieri Marchini

Conselheiros
Elói Dionísio Piva
Francisco Morás
Gilberto Gonçalves Garcia
Ludovico Garmus
Teobaldo Heidemann

Secretário executivo
Leonardo A.R.T. dos Santos

PRODUÇÃO EDITORIAL

Aline L.R. de Barros
Marcelo Telles
Mirela de Oliveira
Otaviano M. Cunha
Rafael de Oliveira
Samuel Rezende
Vanessa Luz
Verônica M. Guedes

Conselho de projetos editoriais
Isabelle Theodora R.S. Martins
Luísa Ramos M. Lorenzi
Natália França
Priscilla A.F. Alves

Concepção e organização: Janete Leão Ferraz
Editor para autor: Paulo Jebaili
Apoio editorial: Thiago de Christo e Vivi Rowe

Todos os direitos reservados. Nenhuma parte desta obra poderá ser reproduzida ou transmitida por qualquer forma e/ou quaisquer meios (eletrônico ou mecânico, incluindo fotocópia e gravação) ou arquivada em qualquer sistema ou banco de dados sem permissão escrita da editora.

Diagramação: Victor Mauricio Bello
Capa: Lilian Queiroz/2 estúdio gráfico e Editora Vozes
Foto de capa: Jairo Goldflus

ISBN 978-85-326-4655-2

Este livro foi composto e impresso pela Editora Vozes Ltda.

Os textos do livro foram compilados e adaptados a partir dos comentários do autor na coluna *Academia CBN*, apresentados em rede nacional, de segunda à sexta-feira, às 6h32, de maio de 2012 a abril de 2013. As reflexões não seguem necessariamente a ordem em que foram ao ar pela Rádio CBN e, embora organizadas pelos temas *Filosofia, Religião, Ciência e Educação*, não foram agrupadas em bloco em torno de cada um destes, de modo a preservar essa característica que a coluna tem no cotidiano.

Sumário

O lugar da Filosofia, 13

Fé, 14

Academia, 15

Ciência e ética, 16

Educação, 17

Escola, 18

Explicação, 19

O risco das aparências, 20

Formação, 21

Caro é o que não vale, 22

Nascer sabendo, 23

Acomodação, 24

Currículo, 25

Disciplina como método, 26

Emancipação na educação, 27

Liberdade, 28

Escolhas, 29

O livro, 30

O visível e o imaginado, 31

Livro como ostentação, 32

Entender e explicar, 33

Distração na leitura, 34

Tecnologia na educação, 35

Animação, 36

Audiência ativa, 37

Carteiras escolares canhotas, 38

Adolescência, 39

Educação Moral e Cívica, 40

Conteúdo, 41

Obsessão, 42

Escola e mercado de trabalho, 43

Grau de instrução, 44

Educador e professor, 45

Ócio programado, 46

Escrever com desenvoltura, 47

Aprender ensinando, 48

Escrever dói, 49

O dicionário, 50

Matérias na escola, 51

Biografias e aprendizado, 52

Leitura difícil, 53

Genialidade, 54

Dúvida, 55

Erro, 56

Humildade intelectual, 57

O que eu desconheço, 58

Magistério, 59

Propina e educação, 60

Sabedoria, 61

Métodos, 62

Entendimento, 63

Educação escolar, 64

Leitura, 65

Grande sertão: Veredas, 66

Escrever e ler com clareza, 67

Ler os clássicos, 68

Assistir a conferências, 69

Educação intergeracional, 70

Crítica sem experiência, 71

Ciência e disputa, 72

Relação causa e efeito, 73

Incertezas, 74

Momentos graves, 75

Vultos envelhecidos, 76

Convicção, 77

Autoconhecimento, 78

Quem ensina quem, 79

Provável e improvável, 80

Herança histórica, 81

Ironia, 82

Perfeição, 83

Educar sem domesticar, 84

Conhecimento x ignorância, 85

Viagem, 86

Psicanálise, 87

Religião e Filosofia, 88

Inteligência filosófica, 89

Tradição, 90

O difícil, 91

Ensino a distância, 92

Literatura em forma de marchinha, 93

Filosofia como lenitivo, 94

Admissão do erro, 95

Inovação, 96

Estatística, 97

Museu, 98

Poesia e conhecimento, 99

Matemática, 100

Professoras, 101

Necessidade da arte, 102

Pergunta, 103

Conhecer e esquecer, 104

Hábitos, 105

Ilusão de ótica, 106

Experiência, 107

Maravilha como fonte, 108

O saber presente na música, 109

Linguagem da ciência, 110

Criança, 111

Brincadeira, 112

Compensação de misérias da vida, 113

Simpósio, 114

O encantamento do mundo, 115

Autocrítica, 116

Tolerância, 117

Gírias, 118

Superstição, 119

Sã loucura, 120

Otimismo x pessimismo, 121

Absurdo, 122

O acaso, 123

Calcanhar de Aquiles, 124

Esperança, 125

Expectativa do ócio, 126

Infantil, 127

Tempos de vida, 128

Aproveitar a vida, 129

Maldade, 130

Coisa, 131

Capricho, 132

Parcimônia, 133

Desarrumação, 134

Acuidade espiritual, 135

Gosto, 136

Antecipação, 137

Fim do mundo, 138

Férias, 139

Ritos de passagem, 140

Futuro, 141

Felicidade como liberdade
para recusar, 142

O lugar da Filosofia

É comum se ouvir que Filosofia é algo que não se compreende bem. Qual o impacto, o significado dela? Alguns perguntam: "O que é Filosofia?". Há uma clássica anedota para defini-la. Dizem que "a Filosofia é um gato preto, num quarto escuro, onde não tem gato nenhum". Portanto, veja-se como até na forma humorada e sarcástica de perceber a Filosofia, ela vem como algo que para nada serve ou que é marcada pela impossibilidade.

Ora, a Filosofia é um olhar sistemático, metódico e programado sobre as razões das coisas. As ciências em geral lidam com os "comos"; a Filosofia é capaz de se debruçar sobre os "porquês", as "razões". As ciências, Física, Química, Biologia, outras áreas do campo científico, lidam diretamente com a ideia de qual é o modo de funcionamento de uma coisa, qual a origem de algo, no sentido de funcionamento operativo ou teórico. A Filosofia, por sua vez, costuma se perguntar sobre as razões, indaga sobre o que é o sentido de algo.

Nesse ponto de vista, a Filosofia não tem aplicabilidade imediata, tal como se tem dentro de outras áreas, mas, por outro lado, serve para que, ao questionarmos sobre as razões daquilo que fazemos, pensamos e olhamos, ela nos ajude a não ter uma vida automática, marcada por um pensamento pouco crítico, ou até por uma alienação em relação ao mundo objetivo.

Tem sim a Filosofia um lugar no campo dos nossos conhecimentos e saberes. Serve para pensarmos melhor.

Fé

Será a fé crença vazia ou ela é uma força vital? *Fides*, em latim, é aquilo que leva a acreditar em algo. Fala-se muito, nos tempos atuais, sobre o papel da fé. Até se diz às pessoas: "Acredite, tenha fé". Vez ou outra, isso aparece de modo meio mágico, dando a entender que basta acreditar para que as coisas aconteçam. Claro que não. Sabemos da dificuldade que é ter uma crença sem um movimento, sem uma ação. Mas, de fato, ela é força vital em várias situações.

Pode alienar, em alguns casos, pode desviar em outros casos, mas a fé, quando colocada como a possibilidade de realizar algo em que se acredita, tem um movimento que ultrapassa o mero campo da Religião – que é importante, mas é apenas um deles.

Em um ensaio sobre a fé, o escritor espanhol Miguel de Unamuno diz algo que nos ajuda a pensar: "Fé não é crer no que não vimos, mas é criar o que não vemos." Isto é, a capacidade de elaborar, de construir, de edificar aquilo que pareceria ausente ou até inexistente em nosso cotidiano.

Ir com fé, não aquela fé tola, da mera entrega, da crença sem nenhuma base, mas a fé que seja um movimento de inclinação em que alguém se debruça sobre uma ação, acredita na sua possibilidade e cria o que não se vê, em vez de apenas crer naquilo que não vê.

Academia

A palavra "academia" lembra, para várias pessoas, a noção de ginástica, de exercício, de malhação. Também é isso, mas não só. Na origem, há 2.500 anos, Academia foi o nome de uma escola, das mais importantes da história.

É possível que a primeira forma de universidade no Ocidente tenha sido fundada por Platão, um dos grandes pensadores do século IV. Nesse período, ele decide, com um grupo, organizar um local para se pensar, se debater, para ir além do óbvio. E funda uma escola em um jardim em Atenas que, num determinado tempo, acreditava-se ser o "túmulo" de uma personagem mitológica do mundo grego, chamada Academo, um herói ático. Esta escola, por ficar no jardim do Academo, acabou sendo chamada de Academia. E ela persiste no tempo com este nome, e nós hoje utilizamos academia também como local para outras atividades, mas, essencialmente, para o pensamento.

Academia é o espaço para o conhecimento, algo que Platão nos legou, em relação à necessidade de pensar, de se refletir, de se trabalhar as ideias para a nossa educação, a fim de que ela nos eleve, nos faça crescer e nos torne melhores.

Ciência e ética

Nos tempos atuais, o conhecimento científico chegou a várias construções que nos levaram a algumas reflexões éticas sobre o que podemos e não podemos fazer, sobre o que devemos e não devemos admitir, o que queremos e não queremos aceitar. Mas não é só o tema da Bioética que vem à tona. É, acima de tudo, a ética em relação ao uso da Ciência, naquilo que ela inventa e constrói, na possibilidade de que o que por ela for produzido venha a servir, no sentido positivo de proteção ao conjunto da humanidade.

François Rabelais, monge beneditino do século XVI, muito conhecido por ter, na literatura francesa renascentista, produzido a obra clássica *Gargântua e Pantagruel*, dá um conselho valioso: "Ciência sem consciência não passa de ruína da alma".

Termo comum na época renascentista, "ruína da alma" é a perdição, ou seja, o apodrecimento da nossa capacidade de fazer aquilo que precisa ser feito. Para que não degrademos a nossa condição de pensador, de escritor, de cientista.

A ética, numa época em que a ciência nos anima imensamente, não pode ser deixada de lado. Ela é consistência para a decência.

Educação

Muita gente confunde educação com escola. Escola é uma das formas de educação. Na sociedade ocidental, a escola é muito recente em termos de organização da vida em relação à educação. O radical que compõe a palavra "educação" é *docere*, de *educere*, que é "doce" e também significa conduzir. Está presente em vocábulos como "viaduto", "oleoduto", "gasoduto". Educação é o que conduz cada indivíduo, desde criança, a tornar-se humano, formar-se humano, ser humano.

Nós não nascemos prontos, temos que ser educados. Nós não nascemos como somos e temos de nos formar, e a educação também faz isso. Onde faz? Em todas as instituições da vida, uma delas é a escola.

A educação é um tempo muito mais amplo dentro da nossa existência. Há pessoas que dizem: "Eu não estou com idade mais para educação". Talvez tenham ultrapassado uma certa fase para a escola, embora sempre seja momento para retornar.

Educação é tudo aquilo que nos molda, nos orienta, nos organiza em nossa trajetória, o que inclui também a escola.

Escola

A escola faz parte da educação. A palavra *skholé*, vem do grego, de onde se origina "escola", significa "ócio". Cuidado para não confundir ócio com vagabundagem. Uma pessoa no ócio tem um tempo livre para escolher o que fazer. Um preso não tem ócio, uma pessoa desempregada não tem ócio, mas a impossibilidade de estar ocupada, o que é diferente.

A escola entrou no Ocidente como sendo um espaço e um tempo em que, de maneira deliberada, nos juntamos com outras pessoas, ou mesmo individualmente, para estudarmos, termos acesso à informação e ao conhecimento.

A ideia de escola, na nossa trajetória ocidental, está muito marcada por algo afastado do mundo do trabalho, e cada vez mais as pessoas sabem da importância de não separar estas duas instâncias da vida, isto é, fazer com que a escola se integre, seja no seu conteúdo, seja no tipo de inserção no cotidiano, com as outras instâncias da nossa vida.

Não é uma escola da qual vivamos à margem, mas é aquela que nos permita ser capazes de entender o tempo de ócio, o tempo de escola, como um tempo de profundo ensino e de profunda aprendizagem.

Explicação

Quando se pensa em educação, em escola, em academia, vem à tona a ideia de um lugar onde as coisas são explicadas. A palavra "explicar" tem uma origem bem interessante: *plicare* vem para nós do indo-europeu, que também gerou o latim, e *plic* ou *plec* ou *plex*, significa "dobrar". Por exemplo, uma coisa que tem duas dobras é chamada de duplex. Alguma coisa que está dobrada dentro de si mesma ela implica, isto é, fica fechada nela. Ao desdobrar algo, você replica. E o que é explicar? É o contrário de complicar. Você complica quando dobra várias vezes de maneira que fique intrincado. Nós explicamos quando desdobramos, dobramos para fora.

Uma das tarefas decisivas na difusão do conhecimento é sermos capazes de explicar, desdobrar aquilo que está intrincado, aquilo que está fechado, que é hermético, de difícil compreensão.

A tarefa do conhecimento é permitir que nós sejamos muito mais nítidos em relação ao modo como queremos enxergar as coisas. E compartilhá-las com as outras pessoas.

O risco das aparências

Quando se educa alguém ou se é educado por alguém é preciso cautela para não nos contentarmos com as aparências, isto é, com a superficialidade. Vivemos hoje num mundo marcado pela velocidade em várias situações e, em outras, por uma mera pressa. Uma vida apressada nos leva em vários momentos a ter formações apressadas, reflexões apressadas, ideias apressadas, e isso carrega um nível de superficialidade muito grande.

Há várias pessoas que se contentam com as aparências. Aparência em relação à própria imagem e aparência em relação àquilo que ostentam – a ostentação da propriedade, a consumolatria, o desespero para ser proprietário de coisas, de exibi-las, de viver algo que aparenta, mas que, de fato, não se é.

O pensador do século V, Agostinho – muitos o chamam de Santo Agostinho, um dos maiores filósofos e teólogos da história –, proferiu a frase: "Não sacia fome quem lambe pão pintado". Para se matar a fome não basta lamber a figura de um pão, é preciso ir até ele.

E quantos hoje não se contentam com um mundo superficial em que se procura saciedade a partir daquilo que é mera imagem, mera representação, apenas uma simulação do que seria a realidade?

A educação tem que nos tirar da superficialidade.

Formação

Uma pessoa se forma, não apenas na conclusão de um curso, mas no trajeto de ir acrescentando habilidades, conhecimentos e capacidades – aquilo que chamamos de formação continuada. Isso se dá na escola, na leitura, nas conversas, tendo acesso às mídias e àquilo que não se sabe. Mas há um conceito-chave em formação que é superação. A formação tem de nos levar para cima, para aquilo que não temos, para não ficarmos nos repetindo, aprisionados naquilo que já sabíamos.

No mundo acadêmico, lideramos pessoas que fazem novas pesquisas sobre temas variados. É decisivo que quem orienta seja capaz de fazer com que o seu aluno o supere naquele ponto, isto é, leve adiante o conhecimento que se construiu. É usual que, na primeira reunião com o orientando, se diga: "Eu espero que você me honre, ou seja, que me ultrapasse, que me supere. Se você na sua pesquisa de mestrado ou doutorado apenas escrever o que eu já escrevi, se for apenas o meu seguidor, isto significa que a ciência, o conhecimento ficará estagnado no ponto em que já houvera deixado. Por isso, não se constranja, supere-me, vá além de mim, ultrapasse aquilo que eu já fiz, porque é justamente isso que vai me honrar".

Um pai, uma mãe também têm de pensar assim, assim como um gestor ou um líder. A superação como sendo uma homenagem.

Caro é o que não vale

Não é raro que quando se diga "isso aí é muito caro", na prática, a intenção é dizer "isso não vale". Esse livro é caro, esse curso é caro, esse produto é caro, essa ideia é cara, essa consulta é cara... Mas vamos lembrar que não há uma identidade direta entre ser caro e ter um alto preço. Dizer que algo tem um preço alto não significa obrigatoriamente que seja caro. Caro é aquilo que não vale. Se eu compro um medicamento que vai me curar de uma doença que pode ser fatal, uma dor que está me amargurando, aquilo não é caro.

Se eu compro algo que me ajuda a existir, que me ajuda a crescer, um curso que vai me levar adiante, não é caro, ele pode ter um preço alto.

Caro é aquilo que não vale o que se está pagando. Uma coisa barata pode ser algo que tem um custo baixo, mas que não necessariamente tenha utilidade. Nesse sentido, mais do que barata, pode ser uma coisa banal.

Há livros que não são caros quando valem bastante; eles são caros se forem livros de banalidades, superficialidade, marcados por tolices ou por um conteúdo que não me auxilia. A faculdade cara é aquela que não serve, que marca a inutilidade na minha vivência por ela.

Caro é aquilo que não vale.

Nascer sabendo

Um dos meus desejos quando criança, e acho que de muita gente, especialmente quando tínhamos alguma prova, um trabalho na escola, era nascer sabendo. "Por que eu não nasci sabendo?" Aí eu não precisaria levantar tão cedo, e em cima da hora, para estudar. Nem ficar até tarde na leitura de um livro. Aquele sonho de nascer sabendo tem uma forte marca de infantilidade.

Nascer sabendo, mesmo que pudesse nos dar algum conforto, seria profundamente negativo na nossa história. Se nascêssemos sabendo, só poderíamos fazer aquilo que já saberíamos, portanto, entraríamos em um processo de repetição, de ausência de criatividade, de incapacidade de inovação. Uma das coisas que nos caracteriza como espécie humana é sermos capazes de recriar e de construir uma outra forma de vida individual e coletiva. Isso se dá porque, de fato, não nascemos sabendo.

Embora seja uma situação gostosa de imaginar, nascer sabendo nos colocaria no mesmo patamar de outras espécies que apenas reproduzem, clonam aquilo que já têm.

A nossa capacidade seria repetitiva, redundante – para usar uma palavra da Filosofia, tautológica, aquilo que vem do mesmo modo que já estava.

Que bom se nascêssemos sabendo, esse foi um desejo pontual. No geral, não seria bom, de forma alguma.

Acomodação

Há vários momentos na vida em que nos acomodamos com o que já sabemos, com o que conhecemos, com a educação no patamar em que se encontra. Isso é muito perigoso, porque em muitas situações significa se conformar, ficar aprisionado num determinado tempo, numa determinada maneira de pensar e fazer. Essa acomodação induz ao envelhecimento das práticas e das ideias.

É preciso balançar a cabeça um pouco; não no sentido literal, mas no sentido figurado. Os árabes têm um ditado que eu aprecio: "Homens são como tapetes, às vezes precisam ser sacudidos". Essa sacudidela não é só para tirar a poeira, mas para mexer, para produzir emoção ou até algum incômodo.

Não há ciência, inovação, crescimento sem incômodo. Não quer dizer obrigatoriamente dor, nem sofrimento, mas o desconforto de sair daquele lugar que nos acomoda, nos deixa estacionados, nos imobiliza naquela situação.

A desacomodação, em vários momentos, nos provoca e nos impulsiona para um momento que pode e precisa ser melhor.

Currículo

A palavra "currículo" também tem o sentido de "algo que corre", "que vai adiante", de "curso". Na escola, fala-se muito em grade curricular, algo que eventualmente soa negativo, como se fosse algo quase penitenciário, em que se fica aprisionado, guardado dentro dela. Educação escolar convive com alguns termos assim, como delegacia de ensino, grade curricular. É uma linguagem muito policial e até no campo da escola do estudo são termos meio estranhos.

Ainda assim, não se deve confundir currículo com grade curricular. Grade é a organização das matérias, disciplinas dentro de um determinado tempo e lugar, por isso é uma grade, uma espécie de tabela. Currículo é muito mais do que a grade curricular. O que alguém aprende em uma escola não aprende só dentro daquele tipo de tabela, que é o conjunto de matérias. O que alguém aprende tem a ver com a vivência, aquilo que traz de fora da escola, com o relacionamento com professores e colegas, com temas e conversas que vêm fora do conteúdo específico da matéria.

Currículo é muito mais amplo, é a vivência que se tem dentro do ambiente escolar e fora dele.

Por isso, é necessário, quando se vai prestar atenção a uma escola, ver não só aquilo que ela tem como grade curricular, mas em qual tipo de experiência o aluno se insere para poder crescer.

Disciplina como método

A palavra "disciplina", em algumas situações, aparece como sinônimo de castigar alguém; outras vezes, e bastante presente na área escolar, disciplina é o nome que se dá a uma matéria. Esse antepositivo *dis-* significa "aquilo que é ensinado". Nesse sentido, disciplina também é o conteúdo organizado dentro de uma estrutura. Por outro lado, disciplina tem também o sentido de ser aquilo que organiza, que faz com que haja um ordenamento do nosso modo de convivência.

Não se deve confundir disciplina com castigo. É muito comum se ouvir dizer que se vai disciplinar alguém. Nesses termos é utilizada até em relação a outros animais: "Vou disciplinar o cão, disciplinar o cavalo". Mas, em relação aos humanos, não pode ter essa validade.

Disciplina é algo ligado ao campo do método, da dedicação. Uma criança, um jovem ou um adulto que não tiver disciplina para o estudo, esvazia seu potencial de eficiência. Faz com que haja uma perda de energia. Em primeiro lugar, disciplina é algo que ajuda imensamente a ganhar tempo, pois se trata de fazer algo de forma estruturada para se chegar aos objetivos desejados. Em segundo lugar, a sofrer menos com o que se faz.

Como diziam nossas avós, "quem não planeja faz duas vezes", ou, de outro modo, "quando a cabeça não pensa, o corpo padece". Uma das maneiras de fazer com que a cabeça pense é sermos disciplinados. Disciplina é sinônimo de método, dedicação e aplicação.

Emancipação na educação

Não é tão incomum que pessoas lidem com a ideia de educação conferindo um sentido de adestramento, de mero treinamento. Não é que treinamento não possa ser feito, mas adestrar é um termo que se coloca muito mais no campo da domesticação de outros animais, aqueles que vão viver conosco.

Educação escolar, familiar ou no trabalho, precisa estar ligada muito mais à ideia de emancipar alguém. É necessário educar uma pessoa em qualquer idade para que se torne livre, isto é, autônoma, capaz de fazer por si mesma.

A palavra "emancipação" – se quisermos uma tradução literal – significa "tira a sua mão de mim, ou me deixa livre, me deixa sozinho". *Ex manus capere*, que gerou "emancipar", significa deixe suas mãos fora de mim, não me capture. Educação se propõe a fazer a pessoa crescer, para que consiga atuar por conta própria, gerando autonomia e não dependência.

Uma educação que vise fazer com que a pessoa seja mais livre, mais humana, mais capaz, é a educação que procura liberar, no lugar de adestrar, é a que oferece independência, em vez de dependência ou subestimação.

Educar é, acima de tudo, ajudar a emancipar alguém nas suas capacidades e ideias.

Liberdade

Algumas pessoas dizem: "Eu queria ser livre como um pássaro". Mas é preciso lembrar que pássaros não são livres. Pássaros não podem não voar. Pássaros não escolhem para onde voam, não têm decisão. A decisão já está tomada previamente pelo seu equipamento genético, aquilo que chamamos de instinto. Você diz: "Ué? Mas eles não vão para lá e para cá?" Sim, mas dentro do que a natureza oferece e permite.

Há uma frase do Jean-Jacques Rousseau, que dizia: "Um cão morre de fome ao lado de um quilo de alpiste. Um pássaro morre de fome ao lado de um quilo de carne". Ou seja, ou está na natureza dele ou ele não pratica. E a liberdade é a capacidade de emancipação, de ter a possibilidade de escolha, de decisão, de julgar por si mesmo ou por si mesma, sem ser constrangido ou obrigado a algo pela determinação natural ou social.

Ser livre não é, claro, desconsiderar a convivência e a necessidade de concertar, orquestrar-se nas demais liberdades das outras pessoas; liberdade não é licenciosidade em que cada qual faz o que quer, mas, isso sim, fazer o que se deseja no âmbito das normas coletivamente convencionadas.

Escolhas

Nas épocas que vai chegando a vez de algum tempo livre, algum momento em que estamos com liberdade para escolher o que fazer, até dizemos: "Vou aproveitar agora; farei o que me der na cabeça!"

Perigoso isso, mesmo que gostoso de imaginar. Afinal, fazer o que "der na cabeça" pode indicar submissão também aos instintos em nós latentes e que temos de dominar continuamente.

Instintos?, se perguntaria. Nós, humanos? No instinto não há escolha! Correto, tanto que Sigmund Freud dizia que, quando dominamos os nossos instintos, o nome disso é civilização. Em grande medida, nós somos capazes de escapar da pura natureza, da pura biologia. E a liberdade é um atributo, uma qualidade essencialmente humana.

O filósofo francês Jean-Paul Sartre, no século XX, dizia que "nós somos condenados a ser livres", isto é, não é escolha. Mesmo que se escolha não ser livre, já se está livremente escolhendo.

Isso não é mero jogo de palavras. A liberdade carrega sobre nós uma responsabilidade muito grande; porque, podendo escolher, a consequência das nossas deliberações será algo ligado à nossa própria capacidade. Nós somos, de fato, aquilo que escolhemos e as consequências que assumimos.

O livro

Ao pensar o tema do ensino a distância, mas olhando para um tempo bem longo, chegamos à invenção do livro. A primeira forma de ensino a distância foi o livro. A primeira plataforma de EAD em sua história milenar serviu e serve ainda para que consigamos levar conosco ideias, sensações, emoções, dúvidas e ensinamentos.

Antes disso, há 2.500, 3.000 anos, para que alguém aprendesse algo era preciso estar na frente de outra pessoa. Só era possível aprender algo de modo presencial. A partir da invenção do livro, a transmissão de conhecimento vai se dar em vários veículos, seja nas tabuletas esparsas (os primeiros tablets), seja com o papiro costurado, até a presença intensa do papel.

O uso do papel com mais persistência vai organizar uma plataforma, um recipiente de conhecimento que serve ainda hoje para que possamos levá-lo a todos os lugares.

Quando refletimos sobre ensino a distância, não fiquemos restritos apenas às plataformas digitais atuais ou à comunicação via internet, como fazemos agora, no século XXI.

O livro, esse nosso companheiro, às vezes nosso adversário, nos acompanha em todo esse tempo histórico e contribui de forma decisiva também no ensino e na aprendizagem virtual.

O visível e o imaginado

A obra, seja a que vem do livro ou do cinema ou de uma pintura ou de uma história contada, está bastante conectada com nossa imaginação. Nós temos essa capacidade, que vem sendo desenvolvida de forma estupenda em nossa evolução, de imaginar, criar na mente aquilo que ainda não existe, ou até de modificar aquilo que está à nossa frente, pensando e visualizando de outro modo.

Portanto, não só o visível, mas também o imaginado, nos permite ir além do óbvio. Permite que sejamos capazes de criar, de inventar o diferente, de ultrapassar o momento no qual se está. Por outro lado, o imaginado tem um peso sobre nós.

O escritor britânico William Shakespeare, em sua obra *Macbeth*, dizia que "o horror visível tem menos poder sobre a alma do que o horror imaginado". Aquilo que é imaginado, que não pode ser visualizado imediatamente, produz um estado de perturbação interna maior.

Quem empregava esse conceito em seu trabalho era o cineasta Alfred Hitchcock. Ele fazia filmes de suspense que nos deixavam em estado de estupefação, horrorizados, sem mostrar as cenas, apenas sugerindo-as.

Uma boa forma de literatura é a que nos leva à imaginação e não apenas àquilo que está revelado ali, naquela hora.

Livro como ostentação

Até uns 20 ou 30 anos atrás, era usual que as pessoas, quando ganhavam algum dinheiro, se tornassem aquilo que se chamava de "novo rico", compravam livros por metro. Chamavam o decorador e, para dar a impressão de casa de uma família letrada, encomendavam livros por metro: "Eu preciso de tantos metros de livros nesta estante".

Ainda há pessoas que fazem isso, não só na decoração, como até na ostentação. Pessoas que não têm na ligação com o livro, não algo que vai servir para fruição, para aprendizado, mas apenas para exibição. Muitos têm uma biblioteca, em casa ou no escritório, só para parecer que faz uso daquilo, mas é uma ferramenta intocável, que tem muito mais a função estética do que cognitiva.

O escritor francês Vitor Hugo dizia que "há pessoas que têm uma biblioteca como alguns eunucos têm um harém". A expressão é um pouco forte, mas imaginar um eunuco em um harém é como algumas pessoas se relacionam com os livros, com a biblioteca.

Há muita gente que vai, por exemplo, à Bienal do Livro e compra muita coisa só para sair carregando. Mas não vai ter ali uma relação de uso, de afeto, de marca.

É uma pena, a finalidade da literatura é que sejamos capazes de acessar um universo de pensamentos. Não deve servir para ostentação.

Entender e explicar

Quem dá aula já ouviu com frequência expressões como "Professor, eu entendi, mas não sei explicar", "eu entendi, mas eu não sei contar". E aí nós somos obrigados a dizer algo que vale no mundo do conhecimento: só é capaz de dizer que de fato aprendeu algo aquele que também consegue explicar. Alguém que algo já entendeu e não consegue passar adiante, ainda não entendeu em profundidade. Porque do entendimento faz parte a capacidade de explicação.

Porém, uma coisa é entender, outra é compreender. Entender significa decodificar uma mensagem, ser capaz de ler uma frase, mas ler uma frase e entendê-la não é o mesmo que compreendê-la. A palavra "compreender" significa aprender comigo, que eu sou capaz de tornar próprio, tornar meu. Compreensão, prender comigo, uma ideia, um conhecimento ou um valor. É aquilo que eu consigo utilizar, consigo ter autonomia na aplicabilidade. Nesta hora, eu tenho que ser capaz de explicar. Essa frase "entendi, mas não sei explicar" é muito estranha.

A explicação, o modo como um conteúdo será entendido, só terá completude como compreensão quando também outro puder capturar, estar naquela mesma relação de comunicação.

"Entendi, mas não sei explicar", então, não entendeu, precisa estudar de novo e melhor.

Distração na leitura

Quando o tema da leitura é trazido à tona, tem sido comum ouvir relatos da seguinte natureza: "Eu leio, mas me distraio com facilidade"; "estou lendo um livro e, quando chego ao terceiro parágrafo, não me lembro de mais nada do que eu li antes"; "se eu preciso estudar algo, fico desatento". É fácil ficar distraído, a palavra "distração" dá ideia daquilo que se desconecta de mim, tira atração, retira aquilo que estava me segurando.

A leitura, quando é feita exclusivamente com os olhos, leva de fato a uma distração. Nosso corpo funciona como uma totalidade, e, se estamos lendo e nos colocamos na postura de apenas usar os olhos na leitura, é fácil que, de todos os nossos sentidos, a visão se distraia, se desconecte do conteúdo à nossa frente.

Não é uma questão de memória, mas de atenção. Uma sugestão, quando estiver lendo e se o livro for teu, é grifar algo. Se não quiser marcar as páginas, acompanhe a leitura com o dedo. Pode até parecer antigo, mas a leitura acompanhada com o dedo evita distrações, uma desconexão do cérebro nessa interação.

Faz parte do mundo acadêmico em que, para podermos ler melhor, tenhamos que aprender o ato da leitura em si. Ler com atenção não se consegue apenas com os olhos; é preciso colocar outra parte do corpo no movimento.

Tecnologia na educação

Ninguém em sã consciência rejeitaria a presença da tecnologia nos processos de educação em geral e da escola em particular. Por exemplo, sabemos da importância das plataformas digitais, dos computadores e suas várias lateralidades no processo escolar. No entanto, é necessário ter cautela.

De um lado, não podemos ter informatofobia, medo do uso da informática no processo de educação. Por outro lado, não podemos ter informatolatria, adoração dos meios digitais, achando que eles são a única solução.

Entre a informatofobia e a informatolatria, é necessário compreender que não é a tecnologia em si que moderniza o trabalho escolar, mas sem ela esse trabalho não fica modernizado. Um professor ou uma professora não se torna alguém com uma mente moderna porque usa tecnologia. É que uma mente moderna não recusa a tecnologia quando ela é necessária.

Nesta hora, o arsenal de material tecnológico no processo educacional precisa ser colocado de maneira equilibrada. Não pode se ausentar. Não é ele que vai resolver as nossas questões de educação, mas, sem esses meios, a educação fica mais prejudicada, com menos consistência.

Não devemos recusar tolamente aquilo que nos ajuda a elevar nossa capacidade, tampouco achar que é um remédio universal que dá conta de todas as demandas.

Animação

Não é todo dia que temos *anima*, temos alma. A expressão "animação" tem origem neste vocábulo, *anima*. É uma tradução latina para uma expressão grega antiga que é *pneuma* – som em grego seria *pneuvma*. *Pneuma*, de onde vem "pneu", "pneumático", "pneumonia", significa sopro vital, aquele que faz com que fiquemos inspirados. Portanto, animação é quando se tem vitalidade para fazer algo.

E animação não é uma coisa só interna. A pessoa pode ser animada por alguém que traz uma ideia, que oferece um impulso, que, em vez de apenas puxá-la, também seria capaz de empurrá-la para algumas situações. A animação é uma energia que nos oferece as razões de tudo aquilo que somos capazes de empreender.

A principal fonte da animação é enxergar sentido em tudo que se faz. Ninguém tem ânimo para ler um livro, para estudar um material, para aprender algo, para trabalhar em alguma atividade se não compreender o sentido daquilo que se está fazendo. A fonte prioritária da animação é a compreensão do sentido.

Quem não consegue capturar razões para aquilo que faz, fica desanimado, perde vitalidade, em vez de se inspirar, expira.

Audiência ativa

A noção de audiência passa a impressão de ser de natureza passiva, de que se está apenas ouvindo. Quando vamos dar uma aula, participar de um evento, de uma palestra, algumas pessoas supõem que, para que haja uma participação na atividade, quem está naquela situação de aprendizado e ensino precisa falar também. Muita gente considera que é um método pedagógico muito mais moderno aquele que tem a participação do aluno falando. Os chamam até de métodos ativos.

Mas existe algo de que não podemos esquecer: a audiência ativa. Quando vou a um concerto de música, eu participo com a emoção, com a percepção, com o sentido, mas eu não estou lá no palco tocando. Quando vou assistir a uma partida de futebol, estou com a minha emoção à prova, eu torço, grito, mas não estou jogando. Eu faço parte da audiência. Por que insisto nesse ponto? Porque muitos supõem que algumas das formas acadêmicas mais avançadas de relacionamento são aquelas que colocam também o aluno para estar ativamente presente, fazendo alguma coisa.

Uma coisa difícil de se fazer, mas absolutamente importante, é ter a capacidade de ouvir, de aprender também pela audição, que não deixa de ser ativa, apenas porque é mera audição. Nem sempre falar é participar. Muitas feitas, falar é apenas e tão somente um movimento para se dizer algo e se preencher um vácuo.

A audiência ativa é aquela em que não necessariamente se coloca a fala, mas sim os ouvidos atentos, a capacidade de escutar com densidade, que seja maior do que apenas estar ouvindo algo.

Carteiras escolares canhotas

Por muito tempo, as carteiras escolares tiveram um tampo sobre uma mesa, que até facilitava a vida de quem era canhoto, porque ele poderia se apoiar. Depois, apareceram as carteiras universitárias, uma cadeira com o braço e com o tampo somente do lado direito, isto é, para quem é destro. E o canhoto sabe o quanto sofreu com a falta de cuidado em relação a essa diferença.

Ora, ser canhoto é apenas uma diferença, não é uma deficiência. É um modo diverso de saber fazer. Outra coisa que sempre perturbou a vida de qualquer canhoto eram os cadernos com espiral no meio. Como nós escrevemos da esquerda para a direita, o canhoto, ao fazer isso, ficava com o braço em cima daquele espiral enrolado, e isso trazia uma série de desconfortos. Nós precisamos de atenção para valorizar também o cuidado com aqueles que não são como a maioria. E não é porque não são como a maioria, caso dos destros, que deixam de ter a necessidade de uma tesoura, uma régua, um caderno, uma cadeira e uma carteira que consigam dar conta disso. Atentar para tal diferença ajuda muito em educação escolar, porque a postura desconfortável prejudica muito.

Não é à toa que a palavra "destreza" venha de "destro", de fazer direito, e a palavra "sinistro" venha da ideia do "esquerdo", porque *sinistrum*, em latim, e depois em italiano, significa "aquele que usa o lado esquerdo".

Precisamos ajudar a impedir que ser canhoto afaste um lugar de igualdade nessa situação.

Adolescência

As escolas e as famílias sempre se preocupam com a ideia de adolescência. É necessário lembrar que o adolescente é alguém que está grávido de si mesmo. Parece uma coisa estranha, mas o que é isso? O adolescente é alguém que vai dar à luz a ele mesmo num outro momento. Assim como gravidez não é doença, adolescência também não é doença, mas gravidez e adolescência produzem alterações hormonais, dificuldade de estabilidade de humor, uma série de impasses no corpo e na mente, uma impaciência muito forte.

Por outro lado, uma sensibilidade muito grande. E as famílias, o pai e a mãe, a escola, aqueles que lidam com a formação de pessoas precisam lembrar que, embora adolescência não seja uma doença, ela produz, sim, alguns distúrbios. A escola tem que levar isso em conta, especialmente por lembrar que a noção de adolescente é daquele que está no processo de crescimento.

A palavra "adolescência" vem de um verbo que está no gerúndio. Adolescência significa, na origem, "crescendo". E a palavra "adulto", que também vem do mesmo verbo, significa "crescido", aquele que já está pronto. Adolescente é aquele que é gerúndio, que está em movimento, que vai dar à luz a quem ele não conhece.

Ele precisa ser mais bem compreendido, mais bem cuidado. Não necessariamente tem que ser aceito em tudo que faz ou pensa, porque está adolescendo. Mas é necessário lidar com o adolescente com o olhar da compreensão.

Educação Moral e Cívica

Nos anos de 1960 e 1970, existia uma matéria escolar chamada Educação Moral e Cívica no antigo ginásio. Para quem entrou mais adiante, no que se chamava Segundo Grau, teve a Organização Social e Política Brasileira. Quem tem menos de 30 anos talvez não faça ideia, mas o que era Educação Moral e Cívica? Era uma disciplina que fazia sentido dentro do governo autoritário da época, que buscava implantar um ensino que nos adestrasse para o respeito aos valores da pátria, entendidos estes valores como os do então governo dominante. E, vez ou outra, também a ideia não tão descartável de decência dentro da relação patriótica.

Mas havia ali uma convicção. A Educação Moral e Cívica é que iria formar gerações de brasileiros e brasileiras para que fossem capazes de se comportar como cidadãos que conheciam os seus direitos, obedeciam o governo e, seguindo nosso lema de "ordem e progresso", aderissem àquele que usaram por um tempo depois (e já abandonado), que era "segurança e desenvolvimento". Hoje se diria: "será que ainda tem lugar uma matéria com esse nome?" Não obrigatoriamente. Ética, moral, cidadania não precisam constituir sempre uma matéria com esse nome.

Aliás, a conversa sobre civismo, sobre educação moral e sobre a convicção ética tem que aparecer em Língua Portuguesa, Matemática, Ciências, História e Geografia, e não estar exclusivamente guardada em uma matéria específica assim denominada, porque daria a impressão de que a função da escola é, num determinado dia e horário, fazer a discussão sobre civilidade e cidadania.

Não é isso. É preciso entrar no conjunto da programação.

Conteúdo

É frequente pessoas presumirem que conteúdo é algo neutro, objetivo, verdadeiro por si mesmo. E não é. O conteúdo na escola e fora dela tem uma marca de preconceito eventual, de ideologia; é marcado também pela capacidade de se olhar a partir de um ponto de vista. Por exemplo, eu fui alfabetizado em Londrina, cidade onde nasci, no norte do Paraná, com uma cartilha que muita gente conhece, chamada *Caminho suave*, de uma autora já falecida, Branca Alves de Lima. Essa cartilha, especialmente no Sudeste, educou dezenas de gerações. Lá pelas tantas, a cartilha tinha o desenho de uma família. Era um pai sentado na poltrona lendo um jornal. Atrás da poltrona, em pé, a mãe, com um avental e uma bandeja com cafezinho. Num canto, um menino brincando com um caminhãozinho e, no outro canto, uma menina com uma boneca. Diríamos "que bonito", mas ali tinha uma ideia.

Talvez não fosse o propósito da autora fazer com que pensássemos isso, mas acabávamos sendo induzidos a pensar que homens leem, mulheres servem; o homem lê jornal, enquanto a mulher serve o cafezinho, um menino brinca com o caminhãozinho e a menina brinca com a boneca. Um conteúdo que induz a um determinado tipo de pensamento.

É preciso ter sobre o conteúdo escolar, sobre o conteúdo das mídias em geral, um olhar crítico. Não fazer com que se olhe aquilo como algo que, porque está no livro ou que foi mostrado na tevê, ou porque se ouviu no rádio que ele, obrigatoriamente, é algo que tem um nível de veracidade, sem que haja a possibilidade de preconceito.

Não é assim. Conteúdo também carrega ponto de vista.

Obsessão

É comum nós, do ambiente escolar, ouvirmos a frase: "Meu filho passa a noite inteira na internet", "Minha filha passa o dia inteiro na internet". Eu costumo dizer que isso é uma obsessão e, como tal, deve ser tratada. Mas é necessário olhar também o outro lado. Se o seu filho passa horas em excesso estudando, ele também está com uma obsessão. Se ele passar, por exemplo, o dia inteiro estudando Platão, que é uma coisa muito boa, é sinal de confusão de prioridades.

Alguém que tem uma obsessão por algo, que só consegue se dedicar àquilo, seja só ao estudo, seja só à internet, só ao esporte, está com algum tipo de desvio e talvez alguma confusão de áreas de interesse, uma vez que nós temos que ter uma vida plurifacetada, isto é, que tem muitas faces.

Se seu filho passa muito tempo conectado na internet, faltam a ele outros campos de interesse. A questão não é a internet em si, mas a obsessão que está por trás desse comportamento. Também ficar grudado o tempo todo nos estudos, ou alguém que passa o tempo todo só orando, isto é, que tem uma fixação, num ponto exclusivo, está, sim, com algum tipo de perturbação da capacidade de abrir horizonte, de ampliar as possibilidades. Então, não se apegue à ideia de que apenas a internet o faz.

Toda obsessão tem um nível de doença.

Escola e mercado de trabalho

Com frequência ouvimos pais e mães, pessoas responsáveis pela formação de crianças e jovens, que a escola precisa dirigir os conteúdos, as práticas para o mercado de trabalho, de maneira que os jovens cheguem já formados para o emprego. É necessário cautela nessa questão.

A escola, de maneira geral, não deve se submeter ao mercado de trabalho, mas precisa ter o mercado de trabalho como referência. Uma coisa é a submissão ao mercado; em outras palavras, fazer com que os conteúdos do trabalho escolar estejam diretamente relacionados ao trabalho e o emprego naquele grupo. Outra coisa é levar em conta o mercado de trabalho em uma região, e ajudar para que a educação escolar forme pessoas também para aquilo, mas não exclusivamente para aquilo. Já imaginou uma escola que funciona por geração durante oito ou dez anos de formação, se ela orienta exclusivamente o conteúdo a uma empresa ou a um grupo de empresas numa região?

Essas organizações podem se deslocar rapidamente, sair dali, fechar o negócio e abrir em outro lugar, fundir-se com outra, e todo o investimento feito no campo público ou privado poderá ficar perdido. A escola com inteligência não se submete ao mercado de trabalho, porém não o desconsidera. O leva em conta, usa o mercado como referência, olha e estuda o que está à volta e prepara pessoas para serem capazes de se formar nessas novas realidades.

Sem submissão, mas sem desconhecimento.

Grau de instrução

Quem já não teve de preencher alguma ficha, formulário ou, ao entrar em um hotel, ser perguntado sobre o grau de instrução? E aí reside uma curiosidade. Qual a diferença entre a educação e instrução? Porque na ficha não está escrito "grau de educação". Seria até estranho se alguém perguntasse isso, porque grau de educação é quase impossível de ser aferido. Porque educação é um conceito muito mais amplo. É tudo aquilo que aprendemos na vida, na escola e fora dela, na família, com a mídia, com a igreja, com o sindicato, com o grupo de amigos.

Portanto, educação é a nossa formação em geral, e instrução é aquilo que é formalizado. Daí que a pergunta sobre grau de instrução está relacionada à ideia de qual é o nível de escolaridade que tivemos.

A palavra "instrução" tem dentro dela o radical *stru*, que em latim significa "aquilo que dá sustentação"; por exemplo, "estrutura" – uma pessoa estruturada é aquela que tem sustentação. Instrução não é o mesmo que educação, mas instrução está dentro de educação.

Fala-se também em treinamento, na capacidade de formação, mas a ideia de instrução não se identifica de maneira plena com a concepção de educação, por ela ser menos do que a educação. Em geral, instrução, inclusive no campo pedagógico, é entendida como sendo um treinamento para algo específico, isto é, uma formação direta, aquilo que configuraria preparar para uma coisa, em vez de dar aquela abrangência mais geral que a educação propicia.

Educador e professor

É muito comum encontrarmos pessoas dizendo: "Ah, esse não é só um professor, ele é, também, um educador". Isso traz uma certa ironia, que é a suposição – que eu não considero correta – de que educador seria mais do que um professor até no sentido de valia. Sem fazer aí uma tola contraposição, educador e educadora todos somos, afinal de contas, educamos outras pessoas e somos por elas educados.

Usando o conceito de educação como sendo a formação do ser humano em geral, e não apenas dentro da escola, é evidente que cada um de nós é educador e educadora. E, nesta hora, nós podemos, sim, chamar algumas pessoas pelo nome de professor e professora, dando a isso um caráter profissional, algo que entra no campo da atividade de um trabalho e de um emprego determinado.

Quando se fala da distinção entre educador e professor, se desejaria que um professor não fosse só um instrutor, um treinador, mas que ele tivesse esse elemento mais amplo que chamamos de educação no aspecto mais geral.

Mas, atentemos, não é possível que deixemos de lado a ideia de que, acima de tudo, um professor é um educador, mas nem todo educador é um professor, à medida que se trata de uma atividade do campo profissional.

Existe ainda outro tratamento, que é chamar alguém de mestre ou mestra. Aí já é uma elevação, um gostoso elogio.

Ócio programado

Para algumas pessoas, o ócio ou o feriadinho é muito mais um castigo do que uma alegria. Para outros, não. Para quem está em escola, como eu, em função da atividade exercida há muitas décadas, se há um dia em que há uma grande alegria é no horário da saída, momento de as crianças irem para casa, seja na véspera de um fim de semana, seja na véspera de um feriado.

Eu fico imaginando, como educador também, que, se elas chegassem à escola todos os dias com a mesma alegria com a qual da escola saem, no dia em que há ou fim de semana ou feriado, tudo seria mais agradável, muito mais gostoso dentro do trabalho. Mas, claro, para alguns, não ter um momento de trabalho é uma tortura, para outros é uma coisa extremamente agradável. Alegria ou castigo.

Victor Hugo, escritor do século XIX, tem uma obra chamada *Um montão de pedras*, em que registra: "Não ter nada para fazer é a felicidade das crianças e a infelicidade dos anciãos".

Criança adora não ter nada para fazer, e alguns anciãos reclamam da desocupação.

Mas ócio não é desocupação, é a capacidade de escolher o que fazer no tempo livre. Se identificamos ócio com desocupação, perdemos a força daquilo que temos de vivenciar e curtir no nosso momento de lazer.

Ócio não é castigo, e nem deveria sê-lo, mas é alegria, sim, quando bem-curtido.

Escrever com desenvoltura

Usando o português arcaico, mas nem por isso descartável, escrever um texto escorreito é fazer com que ele passe com facilidade, que o leitor e a leitora entendam com fluidez. A obra de Machado de Assis, uma referência na nossa história literária, tinha uma escrita escorreita, assim como Eça de Queiroz.

Alguns autores não conseguem fazê-lo, mas escrever com desenvoltura é uma arte, que exige formação, treino, sensibilidade. A arte não é o automático, a arte é, sim, dedicação. Um texto científico, literário, um relatório no mundo do trabalho, uma redação, para que ela se coloque como desenvolta, aquela que não produz obstáculos desnecessários, inúteis, dentro da escrita, exige essa percepção de arte.

O poeta britânico Alexander Pope, no século XVIII, lembrava que "a verdadeira naturalidade no escrever é uma questão da arte e não da sorte. Como, com mais desembaraço anda, quem aprendeu a dançar".

Isto é, a arte nos auxilia no desenvolvimento da sensibilidade. Escrever com desenvoltura é algo que nos coloca no caminho da dedicação, da busca da sensibilidade, da atenção àquilo que é mais refinado a ultrapassar o óbvio.

Dançar, alegria e movimento na escrita.

Aprender ensinando

Quem na vida nunca ouviu os mais antigos? Alguns dos nossos avós, quando diziam que aprender é algo que se faz melhor quando somos capazes de ensinar, porque ensinar é aprender duas vezes. A atividade docente, de professor ou professora – não só, mas especialmente – faz com que tenhamos a possibilidade de aprender duas vezes ao ensinar. Por várias razões: uma delas é que o aprendizado se dá quando se tem que trabalhar uma ideia de maneira mais adensada, mais refletida e bem comunicada.

Quando um pai e uma mãe, um gestor numa empresa, alguém em uma escola se coloca na postura de ensinar, acaba aprendendo com maior capacidade. E se essa compreensão se dá, é um bom privilégio poder ser docente. Não é docente apenas quem é professor ou professora, no sentido técnico do termo. Eu sou um docente e sou um discente em todos os momentos em que me coloco numa situação de aprendizagem.

É importante não se negar a ensinar alguém. Ao ensinar algo que eu sei, forço a minha aprendizagem, o meu conhecimento e a partilha do saber, e isso abre a cabeça. Permite, inclusive, notar se estamos de fato sabendo aquilo.

Porque quem realmente ensina bem é porque aprendeu bem aquilo. E se há dificuldade no ensino é porque há problema na aprendizagem.

Ensinar é mesmo aprender duas vezes.

Escrever dói

Quando crianças, a professora ou o professor de Língua Portuguesa nos mandava fazer uma redação, até contar sobre as férias. E escrever era uma coisa muito complicada quando não tínhamos prazer. E aí digo algo bastante comum até para quem escreve com grande prazer, que é o caso dos escritores ou escritoras: escrever dói! O que é essa dor? Um certo sofrimento na escrita, que tem um resultado positivo ao final, mas não é uma coisa muito fácil. Há circunstâncias nas quais, para se escrever uma página ou duas, gasta-se oito, nove, dez horas. Como?

Ora, para sentar e escrever pode durar cinco minutos, esse é o tempo para executar o texto. Concebê-lo pode levar muitas horas, dias até... É um anda para lá e para cá, mexe em um livro de consultas, pensa, volta na ideia, coloca outra vez na tela do computador, percebe que não está do jeito que se quer, tenta mostrar para alguém.

Os bons escritores e escritoras são aqueles que lidam bem também com essa dor que se carrega. A escritora austríaca do século XIX Marie von Ebner-Eschenbach dizia uma frase adequada a quem escreve: "Ninguém escreve como um Deus se não sofreu como um cão". Ela está usando cão com o sentido de diabo, teve que deglutir o pão que o diabo amassou.

Escrever é bom demais, é algo que nos ajuda a expor a nossa criação, a nossa arte, a nossa percepção, mas tem, sim, uma dor que é a necessidade de se expressar de maneira compreensível, agradável e que também nos leva a ter coragem de expor as ideias.

O dicionário

Há uma fixação de certas pessoas, eu entre elas, no uso de dicionários. Eu gosto, acho importante, sempre recomendo. Precisamos o tempo todo ter dicionários à nossa disposição. Seja em forma de livro, seja digital, da maneira que for, o dicionário nos encanta.

Quando eu estava na escola – e muita gente também se lembra disso, porque passou pela mesma situação –, o dicionário era chamado de "o pai dos burros", o que é uma coisa absolutamente tola. Afinal de contas, o dicionário é o que nos tira da ignorância, nos coloca no caminho de saber algo que ainda não dominamos.

Dificilmente, claro, alguém pegaria um dicionário para ler como um romance, mas o dicionário, seja de sinônimos, de antônimos, de significados, de termos técnicos, de etimologia, ajuda a compreender e a aclarar as ideias.

O literário Mario da Silva Brito dizia que "o dicionário é o pai dos inteligentes; os burros dispensam-no". A ideia de que o dicionário nos ajuda é antiga, mas, ainda hoje, em pleno século XXI, há pessoas que se envergonham de ter que recorrer ao dicionário.

Vale lembrar que o dicionário não é um museu de palavras, não é o túmulo do idioma, como brincaram alguns.

Vez ou outra, ele pode congelar, mas o idioma, que é algo vivo, ganha força quando pode ser preservado, consultado e procurado com inteligência em um bom dicionário.

Matérias na escola

Todas as ocasiões em que um novo tema vem à tona, é comum que um parlamentar ou um grupo na sociedade proponha a criação de uma nova disciplina no currículo escolar. Por exemplo: "Temos problemas no trânsito? Então, vamos criar a disciplina Educação para o trânsito". "Temos questões ligadas à prevenção de doenças sexualmente transmissíveis, que tal criarmos uma matéria chamada Doenças sexualmente transmissíveis?" E assim por diante. Há um certo exagero, afinal de contas, a escola já está hoje com sua carga de disciplinas elevada, no limite máximo.

Evidentemente, alguns assuntos não podem ficar de fora do trabalho escolar. Mas não é mais possível que se crie uma nova matéria a cada tema que apareça. Isso leva a uma diminuição daquelas matérias que, de fato, compõem o fundo básico da formação de alguém na escolaridade formal.

Não é que não se aceite nem se deva aceitar, no espaço escolar, assuntos como ecologia, educação sexual, educação para o trânsito, educação de convivência, religiosidade, que, de maneira geral, já compõem ou precisam compor o dia a dia. A questão é um pouco mais séria.

A escola precisa ter um projeto pedagógico coletivo, dentro do qual esses assuntos caibam e sejam tratados em seu conjunto.

Biografias e aprendizado

Não são poucos os que apreciam imensamente a leitura de biografias, e eu sou um deles. Poderia se pensar até sobre qual seria o motivo para se ler a vida, primeiro de alguém que é outra vida, e segundo, a maior parte das biografias é de pessoas que já faleceram. O que isso pode contribuir? A biografia pode ser inspiradora e ajudar a pensar muitos exemplos de superação, reflexão, meditação. Não é apenas uma diversão, várias vezes também o é, mas trata-se de um excelente aprendizado.

O escritor e humorista peruano Luiz Felipe Angell – que, numa brincadeira deu a si mesmo o apelido de Sofocleto, como se fosse um homem da Antiguidade, embora tenha vivido no século XX – dizia que "biógrafos e abutres se alimentam de cadáveres".

A brincadeira nos leva até a sorrir, mas a biografia e o biógrafo em nosso país, de vez em quando, acendem polêmicas em relação à autorização de publicação, porque a família quer zelar pelo nome do biografado na história.

Ainda assim, a biografia de alguém pode ser para outra pessoa um aprendizado. Nas religiões, uma parte daquilo que se busca aprender vem da biografia. Alguns dos textos chamados evangelhos de algumas religiões, ou, no caso, os ditos e feitos de um profeta, estão registrados naquilo que é a história dele.

Nesse sentido, a biografia, não só no campo religioso, mas na inspiração científica, na literatura, na política, é uma fonte especial de aprendizado.

Leitura difícil

Muito daquilo que se lê pode apresentar dificuldade, mas não se deve confundir uma leitura difícil com uma leitura chata, com algo que foi mal escrito.

Toda leitura de um livro, de um texto, de um artigo, traz um nível de dificuldade, quando não temos familiaridade com o assunto. No começo do ano letivo se passa um texto de Filosofia, de História, de Biologia, para que alguém faça uma leitura e há ali um nível de dificuldade alto. No entanto, se pedirmos a essa mesma pessoa que leia aquele mesmo texto ao final do ano, depois que vai se habituando com o vocabulário, vai ampliando o repertório de conceitos, ela não considerará o texto difícil.

Isso significa que a dificuldade não estava no texto em si. A dificuldade estava na rarefação, na diminuição de vocabulário ou da capacidade de interpretar aquilo. Isto é, o código de interpretação, o código de leitura estava mais restrito; o que é bem diferente de o texto ser chato.

Há coisas que são mal-escritas, e aí não é que o texto fica difícil pela dificuldade de interpretação do leitor, mas porque o autor escreveu mal aquilo, de maneira truncada, com ideias que não são coerentes, ou com o estilo que não apreciamos.

O livro se torna difícil à medida que eu não tenho todo o repertório de códigos de interpretação. Quando eu passo a tê-los, aí sim, se cresce em uma outra dimensão e ele torna-se mais fácil.

A leitura, portanto, é uma questão de tempo e esforço.

Genialidade

Quantas vezes se disse que Leonardo da Vinci, Isaac Newton, por exemplo, foram gênios? Ou que o trabalho feito por grandes homens e mulheres da nossa história foram geniais? Qual a fonte da genialidade?

De maneira geral, as pessoas que entendemos como gênios são aplicadas, dedicadas, trabalham com profundidade e afinco naquilo que fizeram. Portanto, não são apenas pessoas que nasceram com capacidade pronta. A fonte da genialidade é estudar sempre. Gênio é aquele que é capaz de estar sempre estudando.

Um dos maiores gênios do nosso país, o antropólogo potiguar Câmara Cascudo, tinha o hábito de estudar todos os dias, sem exceção. Ele teve uma cozinheira que trabalhou na casa dele por 40 anos. Um dia, ele estava estudando e a cozinheira preparava o almoço. O assistente do Câmara Cascudo, que estava ao lado dela na cozinha, falou: "Grande professor, esse homem é um gênio!" A cozinheira respondeu: "Eu não acho. Faz 40 anos que estou com ele e todo dia vejo ele estudar".

O que talvez ela não tivesse entendido é que essa era a fonte da genialidade. Ele não era gênio porque nascera deste modo. Era gênio porque estudava todos os dias, sem exceção. Ele procurava, tinha interesse, tinha curiosidade.

A genialidade é construída. E a fonte da genialidade é estudar sempre.

Dúvida

O escritor Millôr Fernandes, estupendo brasileiro, que faleceu em março de 2012, nos legou uma frase que eu considero de uma inteligência especial: "Se você não tem dúvidas, é porque está mal-informado". Olha que coisa boa. Há várias pessoas que acham que o conhecimento é a ausência de dúvida, a completa certeza, e não o é. Aliás, um conhecimento que fosse pura certeza, ficaria estagnado e teríamos um nível de redundância muito forte.

É claro que eu não posso ser alguém que só tem dúvidas, porque aí não ajo. Mas não ter dúvidas sinaliza falta de inteligência. Quando se pensa nas várias fontes de informação que precisamos ter no nosso dia a dia, é necessário ter lugar também para a dúvida.

Não a dúvida que se coloca como mera suspeita, mas uma dúvida metódica: "Será que já sei o que eu preciso?", "Será que eu não devo pensar um pouco mais?", "Será que não estou caindo na armadilha de imaginar que já sei?"

Eu não sei algumas coisas e preciso ter humildade para vir a saber. A dúvida é parte da necessidade do conhecimento.

Erro

Erro não é para ser punido, é para ser corrigido. O que deve ser punida é negligência, desatenção e descuido. O erro faz parte do processo de acerto, da tentativa de inovação, da procura de construir algo melhor. Ninguém é imune ao erro. A clássica frase "errar é humano" não é uma justificativa, é uma explicação. Ela significa, entre outras coisas, que nós somos, sim, passíveis de errar, mas insisto: erro não é para ser punido, é para ser corrigido. Corrige-se erro de modo que quem errou faça direito da próxima vez.

Não haveria inovação na vida humana se o erro não tivesse o seu lugar. Aí se diria: "Nós aprendemos com os erros?" Não, aprendemos com a correção dos erros. Se aprendêssemos com os erros, o melhor método pedagógico seria errar bastante, e há erros que são fatais, que são terminais.

Na escola, com frequência colocavam no acerto um C pequenininho em azul no meu trabalho, e quando errava, não é que eles colocavam um E em vermelho, grandão, valorizando algo que deve ser corrigido e não punido?

O físico Albert Einstein dizia algo que nos ajuda a refletir: "Tolo é aquele que faz as coisas sempre do mesmo jeito e espera resultados diferentes".

Algumas pessoas rejeitam o lugar do erro. Urge relativizar essa postura, e isso não é querer elogiar o erro, mas admiti-lo no dia a dia.

Humildade intelectual

Muitos confundem humildade com humilhação. Ser humilde não é ser subserviente. Uma pessoa subserviente é aquela que se dobra a qualquer coisa, que se acovarda.

A palavra "humildade" tem uma raiz indo-europeia, que é *humus*. Significa "o solo sob nós", isto é, estamos todos no mesmo nível. Humildade intelectual é a capacidade de saber que nós estamos no mesmo nível como fonte de conhecimento para outra pessoa. Eu sei que ensino e sei que sou ensinado. Só é um bom ensinante quem for um bom aprendente.

A pessoa que tem humildade intelectual é aquela que não se torna arrogante. Aquela que, por conhecer algo, não acha que domina tudo que pode ser conhecido. Humildade intelectual é entender que ninguém sabe tudo o tempo todo de todos os modos.

Ser humilde é ser capaz de entender que nós temos um nível de igualdade que nos aproxima daquilo que importa de fato, que é a ideia de humanidade que ensina e aprende em conjunto e que tem um patrimônio imenso (o conhecimento humano) a ser repartido na sua fonte.

O que eu desconheço

Clarice Lispector, ucraniana que viveu no Brasil, foi uma das pessoas mais inteligentes na produção da literatura, da educação e da arte dentro da nossa história. Em um de seus textos, disse: "aquilo que eu ignoro é minha melhor parte".

Aquilo que ainda não sei, aquilo que eu desconheço, é o melhor de mim. Não porque a ignorância precise ser elevada a um patamar superior, mas quando Clarice Lispector nos lembra isso, mostra que aquilo que eu ainda não sei é o meu território de renovação, de reinvenção, de crescimento, aquilo que me tira do "mesmo", que me impede de ficar repetitivo.

O que eu ainda não sei revigora as possibilidades dos degraus futuros de conhecimento, à medida que alarga as minhas fronteiras de saber e indica um horizonte que pode ser vislumbrado e desejado.

Saber que não sabe muita coisa, saber que desconhece muita coisa ajuda a querer buscar esse conhecimento. E esse é um caminho que não termina, segue adiante na sua história, na sua formação, na sua educação permanente.

É necessário valorizar o que se desconhece, como lembrou Clarice Lispector.

Magistério

A palavra magistério lembra magistral, magno, magnífico e, claro, lembra corpo docente. Nem sempre se faz a relação entre magistério e magistrado. Mas as palavras têm uma conexão. Na origem, o magistério é aquele que é mais elevado. Até há uma curiosidade, porque se o magistério é o que está acima, o ministério é o que é menor. E muitas vezes se valoriza pouco o magistério e bastante o ministério.

Claro que há um jogo de palavras que advém da etimologia, mas ajuda a pensar na valorização de uma das coisas mais importantes na atividade humana que é a docência, a capacidade de ensinar, aprender, de cuidar.

Homens e mulheres que se dedicam a algo que professam, acreditam, defendem, que é o magistério. Daí a nossa lembrança daqueles que ajudaram a nos formar, que nos ensinaram e que conosco aprenderam. A ideia do professor e da professora na nossa história vai conosco pelo resto da vida.

Vários e várias são magnos, magistrais, magistrados, aqueles e aquelas que, com todo gosto, com toda vontade, com toda verdade, chamamos de mestre, como aquele que nos encanta e nos ensina.

Propina e educação

Em Portugal a palavra "propina" não tem o sentido idêntico ao que usamos no Brasil. Lá, significa taxa da matrícula. É a taxa paga ao poder público, seja numa escola, seja numa repartição para execução de um serviço. Numa das vezes em que eu estava fazendo entrevista para admissão de pessoa vinda de Moçambique, um país também de língua portuguesa, ela me dizia:

– Professor, aqui é preciso pagar propina?

– Não, de maneira alguma. Não aceitamos propina.

O que deu a ela uma alegria imensa, que se desfez depois, no momento em que foi chamada para a secretaria para pagar a matrícula.

Nessa hora é preciso cautela, nós usamos os termos, mas eles não têm o mesmo sentido o tempo todo.

O português é uma língua comum a nós, mas, como toda a língua, ela é viva. E aquilo que em Portugal significa uma taxa, para nós significa um favorecimento ilícito, esdrúxulo, aquilo que é oferecido e não deveria sê-lo.

Sabedoria

Sabedoria não tem conexão direta com escolaridade. Há muitas pessoas que não têm escolaridade formal intensa ou extensa, que não passaram por uma formalização do processo educacional e que demonstram grande sabedoria.

O conhecimento tácito, aquele que está dentro da pessoa sem que haja uma formalização, tem um peso dentro da vivência. O conhecimento que é formalizado, escolar, chamamos de conhecimento explícito, porque é manifestado numa série de registros. No entanto, esse conhecimento tácito, em grande medida, advém da vivência, a pessoa que for sábia, vai prestar atenção, vai tirar lições, vai exercer inclusive a humildade intelectual. O que mais observamos em pessoas que entendemos como sábias é a capacidade, em primeiro lugar, de serem humildes naquilo que sabem. Em segundo lugar, de serem capazes também de continuar aprendendo.

Muitas pessoas que têm bastante idade são por nós consideradas sábias, não porque têm uma experiência extensa, mas porque passaram a vida prestando atenção, conversando, abrindo a cabeça para aquilo que é diferente e é novo, em vez de ficarem grudadas num passado, que, em alguns momentos, precisa ser colocado fora.

A palavra sabedoria tem uma inspiração elogiosa e não necessariamente está ligada à ideia de escolaridade. Sabedoria depende de prestar atenção, trazer à tona aquilo que se vivencia com reflexão.

Métodos

É comum se chamar uma pessoa de metódica para dizer que ela é muito chata. "Essa pessoa é muito metódica", isto é, ela é sistemática. Parte das pessoas com mais idade usava essa palavra até no sentido de acusação. Mas ser metódico é um dos elementos mais fortes para ações bem-sucedidas em qualquer área.

Ter método é estruturar passos e caminhos para chegar a algum lugar, em vez de deixá-los correr de uma maneira frouxa. Ser metódico, inclusive, ajuda a cansar menos.

Método. Organização. Não é ter obsessão metodológica. Isso é necessário em algumas atividades, como no campo da Ciência. Mas ser capaz de organizar, planejar, em vez de ir vivendo de maneira automática, robótica, dizendo: "Eu não esquento a cabeça". Geralmente quem diz que não esquenta a cabeça, acaba esquentando com muita facilidade porque fica sem tempo.

Albert Einstein dizia que "falta de tempo é desculpa daqueles que perdem tempo por falta de método".

Portanto, ser metódico é um dos modos de facilitar a nossa ação, a nossa capacidade de ir adiante naquilo que é preciso fazer, sem deixar de ter flexibilidade.

Mas, com método.

Entendimento

Vez ou outra, a pessoa diz: "Eu li, mas não consegui entender tudo". Claro, nenhuma pessoa tem a capacidade de entender todas as coisas que estão num texto, num material, num livro, e isso não é sinal de ignorância. Admitir que não entendeu tudo é sinal de sapiência. Afinal, cada texto, cada livro, contém uma série de códigos, de referências internas, tem um repertório de ideias, que não está ao alcance de qualquer pessoa ou seu total domínio.

Nesse sentido, ler e não entender por completo nem sempre é ignorância. Em muitos momentos, é sinal de sabedoria, porque exige voltar àquilo.

Há uma longa citação de um moralista parisiense, Jean de La Bruyère, que viveu no século XVII, na qual diz: "Os tolos leem um livro e não o entendem. Os espíritos medíocres creem entendê-lo perfeitamente. Os grandes espíritos às vezes não o entendem inteirinho. Eles acham obscuro o que é obscuro como acham claro o que é claro. Os espíritos afetados querem achar obscuro o que não é e não entender o que é muito inteligível".

Por isso, nada de arrogância, mas também nada de imaginar que não se é capaz de, em alguns momentos, entender algo por completo.

Educação escolar

"Nunca permiti que a escola atrapalhasse minha educação", essa é uma ideia muito curiosa do escritor norte-americano Mark Twain, autor de *As aventuras de Tom Sawyer* e *Huckleberry Finn*, obras importantes na literatura norte-americana.

Muitas vezes nós pensamos em educação escolar como sendo fruto apenas do que nos traz aquilo que é positivo, que auxilia, que nos faz crescer, mas este chiste do Mark Twain nos alerta para uma questão: a educação escolar não é sempre positiva. Ela pode criar obstáculos para que alguém consiga crescer naquilo que necessita, impedindo a autonomia de pensamento, dificultando a capacidade criativa, fazendo com que alguém seja somente domesticado, isto é, apenas treinado para algumas práticas.

Embora saibamos que essa brincadeira do Mark Twain tem um fundo de humor, ele não está equivocado. Ao dizer: "Nunca permiti que a escola atrapalhasse minha educação", ele nos faz um alerta.

Não em relação à escola em geral, mas a um determinado modo de fazer escola, que pode ser negativo e produzir o nosso afastamento do que nos faz crescer.

Leitura

De vez em quando, vamos a uma livraria à procura de um livro com a expectativa de ter um belo final de semana. E esse livro que nos foi recomendado é difícil de ser encontrado, porque é o que se chamaria de fracasso literário. Um livro que não fez sucesso.

É preciso muito cuidado, porque embora nos dê muita alegria encontrar livros nas listas dos mais vendidos, nem sempre as melhores obras estão entre os *best-sellers*. Em vários momentos, as melhores obras não têm uma grande divulgação. A indicação, a procura, o escavar numa livraria, num sebo, ajuda bastante.

Thomas Fuller, historiador britânico do século XVII, enunciou algo que faz sentido: "A cultura tem ganhado mais com os livros em que os impressores perderam dinheiro". Porque alguns desses livros fizeram avançar o conhecimento.

Em literatura, nem sempre sucesso estrondoso é sinal de qualidade. Não é que um livro de boa qualidade não possa fazer sucesso. Mas o contrário, sempre sucesso, sempre qualidade, não é de maneira alguma uma equação que funcione.

Nem sempre encontramos o que há de melhor entre os maiores.

Grande sertão: Veredas

Se há obra muito citada no Brasil e não tão lida é a do mineiro e também médico, Guimarães Rosa. No mundo acadêmico e literário é um dos autores menos lidos, embora extremamente citado. É comum até, em relatórios de empresas e de organizações que nada tenham a ver com o campo literário, aparecer uma frase de Guimarães Rosa, geralmente extraída de *Grande sertão: Veredas*.

Essa obra inspira pensar sobre a sensação de abandono. O grande sertão é o lugar do abandono. Tão grande e silencioso é, que as pessoas têm a sensação de estarem sozinhas. Não é à toa que nessa obra se fale da vereda, ou seja, da alternativa para se sair do grande sertão, que pode ser desesperador.

A obra é uma alegoria sobre a vida, que é um grande sertão, em que o abandono vem como uma das forças que nos ocupa. A sensação de que eu não conto com ninguém, de que estou só naquilo que penso e preciso fazer. Nesse momento, a capacidade de estar e interagir com outras pessoas é fundamental.

E até de encontrar no estudo e na literatura, na meditação, caminhos para que se consiga sair dessa perspectiva do abandono.

São as nossas veredas numa vida que nos simula um grande sertão.

Escrever e ler com clareza

Todas as ocasiões nas quais vou ler um livro ou até quando vou escrevê-lo ou divulgar uma obra de minha autoria ou de outra pessoa, lembro da frase do poeta gaúcho Mario Quintana: "Quando o leitor tem de perguntar ao autor o que ele quis dizer com isso, um dos dois é burro".

Esse humor do Mario Quintana nos leva a pensar algo. Eu não posso supor, como alguém que escreve, que o leitor seja burro. Eu tenho a obrigação da clareza. Ser claro não é ser simplório, nem superficial naquilo que se escreve. Mas ser claro é ser capaz de ter simplicidade na produção.

A comunicação tem que ser algo que leve a pessoa a capturar, a apropriar, a tornar próprio aquilo que é dela.

Há pessoas que acabam escrevendo de uma maneira um pouco mais sofisticada apenas para parecerem mais inteligentes; ao contrário, há necessidade de ser didático no que se escreve.

Didático não é didatista, aquele que exagera, ao ponto de tomar o leitor como tolo e escrever o tempo todo de forma muito óbvia. Mas ter clareza é obrigação na hora de se comunicar.

Ler os clássicos

Aproveitar o tempo, fazer com que haja fruição, na nossa dedicação à leitura. Ler aquilo que nos agrada, seja para melhorar o trabalho, melhorar o que nos leva a viajar pelo tempo, pelos corações, pelos cérebros, como é o caso dos romances. Agora, ler os clássicos é algo que não pode ser deixado de lado.

Há um autor britânico que no século XIX escreveu uma obra, depois tornada filme famoso, *Os últimos dias de Pompeia*. Esse autor, Bulwer-Lytton, dava um conselho que precisamos levar em conta: "Em Ciência, lede, de preferência, os livros mais novos. Em literatura, os mais antigos. A literatura clássica é sempre moderna".

Que bela expressão! Pareceria até contraditório, mas, de fato, a literatura clássica é sempre moderna, na medida em que ela carrega vitalidade, em que traz coisas que não perderam o viço, não perderam a alma, não perderam a possibilidade de nos encantar.

E aí o conselho vale: em Ciência, temos que ler os livros mais novos porque ela vai trabalhando por superação. Uma ideia vem e ultrapassa outra – e desejamos que seja sempre para melhor.

Na Literatura, enquanto isso, temos que dar preferência (sem exclusividade) aos livros mais antigos, porque, como lembra Lytton, a literatura clássica é sempre moderna.

Assistir a conferências

No Brasil se usa bastante a expressão "conferência", dando a ela um título que tem uma natureza um pouco mais acadêmica, mas se usa também palestra, da própria ideia de conversar, de palestrar, advinda para nós diretamente do italiano. E hoje se faz palestra na empresa, na escola, na igreja, no clube, até na praça – aliás, de onde a palestra de fato veio. A praça pública, o lugar aberto era o lugar especial para palestrar, para trocar ideias.

É uma coisa boa imaginarmos algumas organizações que utilizam, ao modo do mundo acadêmico, a conferência, a palestra, como maneira de incentivo, para passar informações ou criar um novo conhecimento.

Nem sempre assistir a conferências é agradável, há momentos em que se torna maçante, a depender do tema e do palestrante.

O jornalista norte-americano Ambrose Bierce escreveu *Dicionário do diabo*, em que define conferencista como alguém que "tem a mão em nosso bolso, a língua em nosso ouvido e a fé em nossa paciência". Isto é, alguém que é capaz de tirar de nós alguma condição econômica, nos perturba e ainda acredita que vamos resistir até o fim.

Mesmo eu sendo também conferencista, ainda rio um pouco disso.

Educação intergeracional

O que é educação intergeracional? É a educação que se dá entre as gerações. Houve um tempo em que se imaginava que as pessoas com mais idade ensinavam os mais jovens. A lógica era o mais idoso sabe, o menos idoso pouco sabe ou nada sabe. A palavra "infantil", que dá a noção de infância, de infantaria, na origem, significa aquele que não pode falar, aquele a quem não é dado o direito de falar, aquele que não consegue falar.

Essa infantilização, isto é, alguém que só ouve e o outro que só fala, sofreu uma alteração rápida nos últimos 30 anos. Passamos a ter um novo mundo com uma velocidade muito grande de alterações e com novas tecnologias que fazem hoje conviver gerações com saberes variados.

Houve uma época, por exemplo, em que meu pai me ensinava coisas, mas só ele sabia e eu só iria aprender com a idade. Hoje, não. Uma criança de 9 ou 10 anos conhece muitas coisas que o pai e a mãe ainda não dominam, conhece muitas coisas que aqueles que têm mais idade desconhecem. Uma questão de hábito.

Entender que a educação intergeracional, em que uma geração aprende com a outra, é um sinal de inteligência, que carrega algo especial: a capacidade de aprendermos com quem sabe, independentemente da idade que essa pessoa tenha.

Crítica sem experiência

É rotineiro supor-se que alguém só possa fazer uma crítica a uma ideia, a um fato, a um produto, se concretamente tiver a prática de elaborá-lo. Há um ditado antigo, que é até ofensivo para a atividade docente, que diz que "quem sabe faz, quem não sabe ensina", querendo mostrar que aquele que sabe fazer pratica, e, a quem não tem essa experiência, resta apenas ficar ensinando. Outro jeito de expressar a mesma ideia é: "entende mesmo quem mete a mão na graxa".

Sem dúvida, não se pode desprezar a importância da experiência naquilo que se faz. No entanto, é também necessário lembrar que, mesmo quem não vivenciou algo, é capaz, sim, de avaliar, mesmo que não tenha toda a profundidade de quem já experimentou.

Portanto, não apenas quem vive algo pode fazer uma crítica, mas também aquele que aprecia do lado externo. O filósofo alemão contemporâneo Walter Kaufmann diz que "pessoas que nunca levantaram um voo filosófico podem apresentar críticas válidas".

Isto é, mesmo que você não saiba botar ovos, pode avaliar se o ovo está fresco ou podre, o que significa que a vivência é importante, mas não é exclusiva para que se possa avaliar, apreciar e até buscar um equilíbrio na interpretação de um fato, de uma ideia, de um objeto, de um processo.

É bom ter experiência, mas a crítica é possível (com menos peso) também quando não se passa por ela.

Ciência e disputa

Ciência que não é obrigatoriamente uma atividade ligada ao mundo da concorrência, ao mundo do negócio e, ainda assim, há dentro dela um caminho em que se entra em litígio. E não é litígio apenas pelo valor das ideias e pela verdade. A universidade, por exemplo, não é imune às vaidades, não é imune à ideia da possibilidade de se derrotar outra pessoa, ao jogo político, claro que não. Ela é uma instituição social e, como tal, tem todas essas variáveis.

Agora, a disputa instalada no dia a dia da Ciência, acaba produzindo uma série de desastres, porque, em princípio, a intenção original da Ciência é construir um conhecimento que seja consensualmente mais verdadeiro sobre determinado assunto, de maneira a nos servir.

Gosto muito de uma expressão de Linus Pauling, que foi a única pessoa que ganhou individualmente dois prêmios Nobel – tivemos outros que ganharam, mas foram partilhados, como Marie Curie, por exemplo, mas, individualmente, ele foi a única pessoa na história que ganhou dois Nobel, um de Química, em 1954, e um da Paz, em 1962, pela oposição dele ao uso de energia nuclear.

Pauling sempre lembrava que a Ciência é a procura da verdade, não é um jogo no qual uma pessoa tenta bater seus oponentes, prejudicar as pessoas.

Essa ideia é muito boa. Nem sempre é exercida no dia a dia, nem sempre é praticada em todas as academias de pensamento científico, mas é necessária como horizonte.

Relação causa e efeito

Uma das coisas que a ciência mais estrutura na sua distinção como um conhecimento organizado é a busca de situações que sejam constantes. Uma delas é que todo efeito tem uma causa. À primeira vista, a frase demonstra uma evidência, mas, em vários momentos, quando algumas práticas mais místicas ou até supersticiosas foram superiores ao uso do conhecimento científico, se poderia até supor alguns efeitos cujas causas seriam desconhecidas, indetectáveis.

O trabalho da ciência é estabelecer essa relação de causa e efeito. Procurar causas para efeitos é sinal da nossa inteligência.

O dramaturgo britânico William Shakespeare colocou uma reflexão muito forte sobre isso em *Hamlet*, no segundo ato, quando Polônio diz: "Mas resta descobrir a causa desse efeito ou, ainda melhor, a causa do defeito, porque esse efeito que é defeito há de ter causa".

Ou seja, não há possibilidade no campo da Ciência de ficar procurando explicações mágicas.

É preciso ser incansável na busca das causas em qualquer área para se entender os efeitos.

Incertezas

O pensador Immanuel Kant dizia: "Mede-se a inteligência de um indivíduo pelo número de incertezas que ele é capaz de suportar". Suportar não é se dobrar, não é ser derrotado pela incerteza. É não sucumbir a uma incerteza, não ser por ela derrotado.

Num mundo de velocidade, de transformação, nós temos um nível muito alto de incertezas em nossa vida. A incerteza está presente na nossa história pessoal, na nossa história coletiva, mas ela não pode nos vencer.

A maneira mais adequada, quando temos um caminho que desejamos e que precisamos seguir, é persistir diante da incerteza. A incerteza é, muitas vezes, transitória. Claro, quem vive na incerteza não consegue dar passo algum, mas não admitir que as incertezas estão em nossa vida é atitude de quem fica sempre aguardando a completa certeza para dar o passo seguinte.

O conhecimento nos traz várias incertezas, mas as superamos e vamos adiante.

Momentos graves

Há situações na família, no trabalho, na escola, na ciência, que, em toda a história humana, sempre tiveram grande gravidade. São momentos de tensão, em que há uma agudização na nossa vida pessoal. No entanto, uma das coisas que ajuda a existir melhor é a capacidade de entender que momentos graves são também momentos grávidos.

Brincando aí com o jogo de palavras, toda gravidade contém, em si, uma gravidez, a possibilidade de dar à luz a uma nova situação, a um novo momento, a uma nova circunstância.

Agostinho de Hipona, teólogo do século V, dizia: "Quando dois presos olham pelas grades o lado de fora, um deles olha a lama no chão e o outro olha as estrelas".

Não é brincar de otimista, mas de ser capaz de olhar as estrelas, em vez de ficar apenas observando a lama existente.

Há pessoas que não enxergam a gravidade do momento nem a gravidez que ele contém; outras pessoas enxergam apenas a gravidade. A esperança, em qualquer área da vida, aparece quando buscamos dar à luz uma nova situação.

Momentos graves, sim, mas também momentos grávidos.

Vultos envelhecidos

É óbvio que, com o passar dos anos, as pessoas vão envelhecendo. Curiosa é a tendência de aumentarmos a idade das personagens históricas. Casos como os de governantes, ou monarcas, por exemplo, a quem atribuímos muita idade, do ponto de vista simbólico, por terem feitos importantes.

A figura histórica de Jesus de Nazaré é um exemplo. Afinal, Ele teve sua memória cravada aos 33 anos de idade. Outro? Charles Darwin. Todas as vezes que vemos uma representação dele, aparece um senhor de barba longa, idoso, mas, quando ele fez a viagem no Beagle, no século XIX, que levou à construção da concepção mais forte da evolução, ele tinha apenas 22 anos de idade.

Aliás, o comandante do Beagle, um brigue da marinha britânica, Robert FitzRoy, tinha 23, 24 anos quando comandava a embarcação depois famosa.

Mais ainda, o português Pedro I, aquele que é entendido por nós como o que proclamou a Independência do Brasil, tinha 23 anos à época desse fato e, quando morreu, tinha 35.

Portanto, com constância, nós esquecemos que uma parte de coisas da história e da humanidade foi feita por gente bastante jovem.

Convicção

Convicção científica, convicção política, convicção religiosa. Nem todas as pessoas conseguem entender a necessidade de convivência, na diversidade de convicções. Há pessoas que têm pensamentos diversos do nosso e isso nos auxilia a refinar os nossos pensamentos e nos ajuda também a buscar maior certeza ou até dificuldade naquilo que temos de encontrar. Uma das coisas mais complicadas é respeitar a convicção religiosa que as outras pessoas carregam.

O fato de um país ser laico, como é o caso do Brasil, não significa que a religião seja proibida. Mas é frequente que pessoas que, não tendo uma prática religiosa, não entendam aqueles que a têm, e o inverso também se dá. Pessoas que, tendo uma prática religiosa, consideram um absurdo que aqueles que não a têm estejam vivendo no mesmo espaço. A ideia de um país laico, no qual se respeite a diversidade religiosa, é presente nas democracias contemporâneas, mas ela nasce com uma força cada vez mais intensa a partir do século XVIII, com imensa colaboração da Revolução Francesa.

A França como pátria do laicismo, por exemplo, na Declaração dos Direitos do Homem e do Cidadão, de 1789, o ano da Revolução Francesa, registra num dos artigos: "Ninguém deve ser incomodado por causa das suas opiniões, mesmo religiosas, contanto que a sua manifestação não perturbe a ordem pública estabelecida pela lei".

Está lá desde o século XVIII, convivência na diversidade.

Autoconhecimento

O pensador grego Sócrates ficou conhecido também por uma máxima, que não é uma invenção dele, mas que ele partilhou em seu tempo: "Conhece-te a ti mesmo".

Essa ideia do autoconhecimento é muito importante. Há momentos em que é preciso aproveitar um fim de semana para pensar um pouco em si mesmo. Muitas pessoas querem viver em voz alta. Não conseguem ficar sozinhas, o que é diferente de ser solitário. Em vários momentos, para pensar sobre si, fazer com que as nossas ideias sobre nós mesmos fiquem adensadas, ganhem certa fruição, é preciso silêncio, ou até algum isolamento. Não é ficar solitário, mas ficar um pouco quieto no canto.

Um fim de semana pode propiciar isso para uma pessoa disposta a pensar sobre suas convicções, suas ideias, como está a própria vida, o que se está desejando fazer, como estão os níveis de felicidade no dia a dia, se tem prazer na convivência.

Não é só uma questão de natureza psicológica, também o é, mas é especialmente um movimento de se conhecer.

É enriquecedor o processo de olhar para dentro e observar o que precisa ser mexido e o que precisa ser preservado.

Quem ensina quem

Quem ensina quem? Isso nos lembra Paulo Freire, o maior dos nossos educadores, aquele que foi escolhido em 2012 como o patrono da educação brasileira. Muita gente talvez não saiba, mas ele é o brasileiro com o maior número de títulos de doutorado *honoris causa* da nossa história. Paulo Freire tem 36 títulos de doutorado ainda em vida (por Harvard, Princeton, Cambridge, Oxford etc.) e mais cinco *post mortem*.

Sabemos que Paulo Freire contribuiu imensamente para a educação no Brasil e no mundo, com dezenas de traduções de seu livro mais famoso, *Pedagogia do oprimido*. Nesse livro há um subtítulo interno, que denomina um dos capítulos, e que nem sempre é bem-compreendido.

Ele escreveu: "Ninguém educa ninguém, ninguém se educa sozinho, as pessoas se educam reciprocamente, mediatizadas pelo mundo".

Claro que ele não queria dizer que ninguém educa ninguém, porque isso significaria dizer que a educação é impossível. Ele quis dizer "ninguém educa ninguém", no sentido de alguém só educa outra pessoa e não é por ela educado. Nós nos educamos reciprocamente, ou seja, ninguém se educa sozinho, independentemente da idade, da posição, do lugar que ocupa em uma sociedade.

A educação não é algo que tem mão única; pelo contrário, a educação é sempre uma atividade de mão dupla.

Pais educam seus filhos, mas são também por eles educados.

Provável e improvável

Identificamos ciência como aquilo que pode ter algum nível de experimentação. Isto é, conhecimentos e hipóteses que possam ser testadas, ideias a serem experimentadas, submetidas a um processo de verificação. Por outro lado, algumas áreas do conhecimento humano que já foram chamadas de Ciências em outros tempos, hoje são denominadas saberes.

A Filosofia é entendida muito mais como um saber do que, de fato, como uma ciência. A Teologia também. Algumas áreas da arte são chamadas de saberes.

A ciência exige, no que se tem como padrão hoje, uma possibilidade de verificação, de experimentação, enquanto os saberes, como o caso da Filosofia e da Teologia, são improváveis, não no sentido de impossível, mas de aquilo que não pode ser provado.

Não dá para experimentar, colocar no laboratório, fazer teste com algumas concepções da Filosofia ou da Teologia. Dentro dessa lógica, a noção de ciência é convencional, mas ganha dimensão e a possibilidade de experimentação.

Não é que Filosofia e Teologia não sejam áreas do conhecimento. Apenas não têm, no tempo atual, o *status* de ciências, mas são saberes.

Herança histórica

Toda vez que se fala na ciência, no conhecimento, na academia, na Filosofia, na Teologia, acabamos fazendo referência não só de natureza de idioma e da linguagem, mas ao mundo greco-romano. Isto é, a Antiguidade Clássica, aquela que, há 2.500 anos, dentro da civilização grega e, na sequência, no mundo latino, dos romanos, teve o berço do que nós chamamos de Ocidente. Essa nossa herança do mundo greco-romano é muito marcante. Diferentemente de povos do Oriente, asiáticos, da África, nossa formação histórica e concepção sobre a vida, sobre o conhecimento, a ética, nasceram naquele berço greco-romano.

Sem ele, nós não teríamos como compreender nossa história. Não é só porque o português é uma língua latina; não é só porque o latim teve muita influência do grego, do persa, ou daquilo que é parte do indo-europeu, e hoje se caracteriza como matriz de vários idiomas da Europa.

Nós herdamos do mundo greco-romano a Filosofia, a noção de Direito, a organização do Estado, do poder público, a própria ideia de democracia, (embora fosse uma democracia de outra natureza), mas também o campo da ética, do debate sobre os valores, se a vida humana é tragédia ou drama, se existe destino, se nós temos algum controle sobre nossas ações, se a natureza pode ser decifrada; se existe alguma coisa que faz com que sejamos seres de bondade ou seres de maldade.

Portanto, há todo um ambiente, no século XXI, no Ocidente, que é marcado por aquilo que há 2.500 anos gerou indagação.

Ironia

Há pessoas que são irônicas, e essa ironia, não raro, pode ser ofensiva. Mas a ironia tem um componente também de natureza pedagógica. Ela funciona, em muitas situações, quando se está ensinando algo. Como se fosse um tranco, um sacolejo, uma puxada de leve para que a pessoa fique mais atenta. A ironia utilizada como forma de humilhação, com a intenção de fazer com que a outra pessoa fique desconcertada, tem um sentido negativo. Mas há, sim, uma forma de expressão irônica que nos ajuda a pensar melhor.

Como a ironia tira algo do comum, ela faz com que comecemos a pensar mais profundamente naquilo que nos "sacolejou" naquele momento.

É famosa na história da Filosofia a expressão "ironia socrática", porque Sócrates, pensador grego do século V a.C., utilizava ironia como uma das suas formas de pedagogia, metodologia e didática. Ele usava ironia como forma de comunicação. Vez ou outra, ele fazia com que seu interlocutor ficasse levemente desconcertado. Esse chacoalhão obrigava a pensar outros ângulos que não estavam sendo enxergados.

A ironia pode funcionar no campo do humor, também no da ofensa, mas não pode ser descartada.

Contudo, cautela com a ironia, porque, quando não é entendida, ela entra como uma afirmação; e a mensagem que se gostaria de comunicar acaba produzindo outro resultado.

Perfeição

O mundo acadêmico, o mundo do trabalho, o mundo da Filosofia, o mundo da Ciência, o mundo da Literatura têm em comum a perfeição como uma aspiração e, acima de tudo, como horizonte. A noção de fazer a obra perfeita, o conhecimento perfeito, a teoria perfeita nos acompanha durante toda nossa caminhada na vida. No entanto, há aí algo muito perigoso, porque a expressão "perfeito", em latim, significa feito por completo, feito por inteiro, já terminado, já concluído. E, se há algo que caracteriza a existência humana, é que vida é processo, e processo é mudança.

Portanto, um ser humano que se sentir perfeito está tolamente equivocado, porque ser feito por completo, estar já concluído como uma pessoa, a única possibilidade, para ser irônico, é a de ser um cadáver. Só um cadáver humano é perfeito, pois ele não tem mais como se modificar do ponto de vista da sua capacidade intelectual; vai se modificar como corpo físico, como biologia, mas, como entidade humana, não terá mais essa capacidade.

A perfeição como horizonte, aquilo que procuramos, que desejamos, é algo que nos movimenta em direção ao melhor, mas, se ficarmos imaginando a perfeição como um lugar ao qual se chega, isso é falta de sabedoria.

Quem tem sabedoria percebe que procuramos fazer algo perfeito, mas, se chegarmos a achar que já conseguimos, existe aí uma falha de percepção e precisamos olhar aquilo que fazemos com muito mais crítica.

Educar sem domesticar

Paulo Freire falava do risco da educação que ele chamava de "bancária". Obviamente não tem a ver com a profissão de bancário, mas muitas pessoas supunham que, para educar alguém, bastava fazer depósitos sucessivos, como se fosse num banco e no dia da prova se fazia o cheque, que vinha com ou sem fundo. Como se o aluno ou aluna, tivesse a idade que tivesse, fosse um recipiente vazio, que bastava depositar dentro. Paulo Freire também falava do perigo de fazer da educação uma domesticação, isto é, adestrar alguém.

Estou usando a palavra adestrar tal como se usa com outros animais: tirar dele o que é de vontade própria, o que é puramente instintivo, fazer com que eles vivam conosco na nossa casa, o *domus*, o doméstico. Educação, como domesticação, significa também desumanização. Tirar o humano, isto é, a liberdade.

Paulo Freire usava muito a palavra "autonomia". Uma educação que eleva, que respeita, que faz com que a pessoa ganhe a sua liberdade, é aquela que produz autonomia, em que conseguirá pensar de modo próprio, agir com consciência, atuar de maneira deliberada conforme aquilo que decidiu e pensou.

Não é alguém soberano, que faz qualquer coisa, mas alguém que é autônomo, que não é domesticado, que não é aprisionado, como se fosse apenas treinado, adestrado para ser obediente.

Educar é gerar autonomia.

Conhecimento x ignorância

Quanto mais conhecemos, mais nossa ignorância se alarga, esse é um dos paradoxos da ciência e do conhecimento em geral. Quanto mais sabemos sobre algo, mais sabemos o quanto não sabemos sobre aquilo mesmo.

Por exemplo, nos últimos 500 anos, nós tivemos várias invenções que nos fizeram enxergar o que não enxergávamos. Duas coisas são sempre simbólicas: o telescópio, que nos fez enxergar no céu muito além do que a nossa visão permitia; e o microscópio, aquele que nos fez olhar para situações minúsculas, que antes não conseguíamos capturar.

Até se diria, há 500 anos, "agora que nós temos o microscópio e o telescópio, nós estamos conhecendo mais", mas há aí um paradoxo positivo dentro da ciência. Quanto mais o microscópio nos levou a aprofundar a capacidade de enxergar o mundo diminuto, mais ficamos sabendo de coisas que não sabíamos; alargou-se ali a nossa ignorância. Nós ficamos sabendo que havia todo um mundo aqui antes de nós, porque não víamos, não sabíamos que existia e, portanto, não precisávamos compreender. O mesmo vale com o telescópio. Quando ele passou a permitir uma ampliação da nossa visão sobre o universo, sobre a abóbada celeste, passamos também a perceber aquilo que nem sabíamos que existia.

Esse paradoxo é muito marcante. Mais conhecimento, mais ignorância. Mais se sabe, mais se sabe aquilo que não se sabe e mais se amplia o nosso território daquilo que se desconhece. Esse paradoxo ajuda bastante a saber que tanto o conhecimento é infinito quanto a ignorância.

Viagem

A viagem é um meio de conhecimento, de aprendizagem e de sabedoria. Se há algo que fazemos durante séculos na história humana é viajar. Algumas pessoas chegam a discutir na área da Antropologia e da Ciência Social, que nós, humanos, gostamos de viajar porque, embora um dia tenhamos sido extensivamente nômades e passamos a majoritariamente sendentários, a fixação em lugares não nos impede de continuarmos viajando para encontrar melhores condições.

A viagem, seja ela qual for, é um meio estupendo para o aprendizado. A viagem significa sair daquilo que para nós é habitual, familiar. Na viagem encontramos aquilo que não conhecemos, deparamos com costumes, com situações, com paisagens que ainda não sabíamos que existia. Viajar alarga o horizonte, é um dos modos mais eficientes de aumentar a capacidade cognitiva.

A viagem permite que ampliemos imensamente os conteúdos do pensamento e nos obriga a darmos conta daquilo que não é tão habitual no nosso cotidiano.

Um antigo tantra afirmava que "um homem que não viaja é como uma rã num poço". Uma rã dentro de um poço, aquele é o mundo dela, ela até conhece bem aquele lugarzinho, mas só conhece aquilo.

Para que você e eu não sejamos rãs, temos de olhar a viagem como conhecimento.

Psicanálise

Se a Filosofia está acostumada a ser chamada de não ciência, a Psicanálise, desde os trabalhos desenvolvidos por Sigmund Freud, no final do século XIX, vem correndo em direção ao mundo contemporâneo e pode ajudar muitas pessoas. Ainda assim, a Psicanálise é objeto de controvérsia.

A Filosofia já se habituou a não ser colocada no rol da ciência, por conta até da percepção experimental e matematizada, mas a Psicanálise cada vez mais vem sendo colocada em xeque. Vem sendo discutida em relação aos seus estatutos: se ela se aproxima de fato do campo da ciência, se ela se envolve como uma área admitida pela psiquiatria no ramo da medicina, se ela tem um estatuto epistemológico, isto é, científico, que possa ser sólido. E não é uma coisa tão fácil.

Karl Popper, um estudioso de Filosofia da Ciência da nossa história, chamava a Psicanálise de pseudociência, e ele o dizia por imaginar que ela não podia ser submetida a um critério, que para ele é decisivo: poder ser falseada. Soa ser meio estranho que se possa comprovar algo pelo falseamento, mas Popper levantava esse modo de ver se uma ciência era sólida. Quanto mais se tentasse falseá-la e não se conseguisse, seria sinal de que ela era sólida. E ele dizia que os princípios da psicanálise não admitiam isso.

Até piada foi feita. Um médico brasileiro, já falecido, chamado Walter Benevides, no livro *Visitas de médico*, dizia, com ironia: "Foi realmente injusto não terem dado a Freud um Prêmio Nobel de Literatura".

É polêmico.

Religião e Filosofia

Houve uma época, na história ocidental, em que a Filosofia foi colocada como serva da Teologia, isto é, da religiosidade. Durante o período medieval, por exemplo, quando são formadas as primeiras universidades, entendia-se que o estudo teológico tinha que ter a Filosofia como sua auxiliar, a chamada posição ancilar, porque *ancilla* em latim significa serva, aquela que serve.

Mas, no mundo do Renascimento e, mais tarde, no mundo da contemporaneidade, dentro do Iluminismo do século XVIII, a Revolução Francesa, as democracias, o laicismo, a possibilidade de não se ser obrigado a ter uma religião fizeram com que se colocasse filosofia e religião como opostos, o que não é necessariamente algo que tenha veracidade; não há incompatibilidade.

Antoine Rivarol, escritor francês, grande até, mas defensor da monarquia durante a Revolução Francesa, foi autor de várias máximas e, numa delas, anotou que "um pouco de filosofia afasta-nos da religião, e muita filosofia nos faz voltar a ela".

Aliás, com essa ideia, ele retoma uma assertiva que também era de Francis Bacon, que, ao escrever, antes dele, um ensaio sobre ateísmo, dizia que: "Filosofia um pouquinho nos leva, às vezes, a sair fora do campo da religião, mas quando a gente se aprofunda na filosofia, a religião volta com uma certa força".

É algo a ser pensado. Afinal, religião e filosofia não obrigatoriamente são incompatíveis.

Inteligência filosófica

Será que a Filosofia é sempre inteligente? Não. Em diversos momentos da história, a tolice, a ignorância ou até o delírio e a demência entraram no campo de reflexão de pensadores na área da Filosofia. Estar no campo da Filosofia não obrigatoriamente nos faz lidar com algo que seja necessariamente inteligente.

Cícero foi um pensador romano do século I a.c., a quem devemos uma parcela da tradução latina da Filosofia clássica grega. Ele, que foi adversário de Júlio César, exatamente por isso foi morto e decapitado depois por Marco Antônio, que sucedeu no segundo triunvirato aquilo que foi o governo de César, lembrava que "nada pode ser dito de tão absurdo que algum filósofo não o diga". Com isso, ele queria dizer que a Filosofia não é imune à possibilidade de expressar ideias que não sejam consistentes.

Claro que aquilo que se deseja em uma filosofia que seja séria, num pensamento filosófico sistemático, estruturado, ao mesmo tempo compartilhado com as pessoas e submetido à crítica, é que ele não se marque pela tolice. Mas o absurdo, aquilo que não faz sentido, também pode ser pensado dentro da percepção filosófica.

Afinal, filosofar não é necessariamente delirar. A capacidade de sair da razão imediata também permite a percepção filosófica, mas ela não é o caminho mais indicado para esse tipo de noção. A inteligência filosófica tem que ser procurada e construída, não é automática, de maneira alguma.

Tradição

O termo "tradição" significa aquilo que se transmite, aquilo que leva a outro lugar, aquilo que se entrega. Aliás, apesar de a expressão não parecer assemelhada, a palavra "traição" está ligada também à palavra "tradição".

Por isso, alguns em italiano dizem *"traduttore traditore"*, ou seja, que todo tradutor é um traidor, no sentido de que ele engana um pouco e não é fiel, mas não é esse o sentido, é muito menos tradução e mais tradição.

Tendo o sentido de entrega, as palavras "traição" e "tradição" se conectaram, mas eu quero pensar outra coisa na tradição. Aquilo que é parte da nossa história e não pode ser descartado.

Walter Kaufmann foi um grande tradutor de Nietzsche, e escreveu uma obra muito importante chamada *O tempo é um artista*, em que coloca questão intrigante: "A ideia de que somente é belo o que é novo e jovem envenena nossas relações com o passado e com nosso próprio futuro".

Isto é, esse culto exagerado ao que é novo e jovem acaba obscurecendo um pouco o que faz parte da tradição.

A tradição é aquilo que carrega o antigo. O antigo não é velho, o velho é aquilo que está ultrapassado, arcaico, que não tem mais lugar. Antigo é aquilo que tem uma existência mais extensa no tempo e permanece com vitalidade.

Guardar a tradição, e levá-la adiante, é um sinal de inteligência.

O difícil

Tem dia em que dizemos "olha, tá difícil, tá complicado"; seja na escola, no trabalho, na família, na universidade. Recomeçar não é fácil. De maneira geral, esquecemos que a própria palavra "fácil" é aquilo que pode ser feito. A ideia de factível, aquilo que pode ser realizado, enquanto difícil é aquilo que rompe o que pode ser feito, que leva a uma disrupção.

Agora, difícil não se coloca de maneira alguma como algo que seja sinônimo de impossível. Algumas pessoas entendem o difícil como uma barreira intransponível. Ao contrário, difícil é aquilo que exige esforço, dedicação, uma aplicação maior.

A ciência se baseia em grande medida na capacidade de enfrentar o que seria o impossível, sabendo que o fácil nem sempre é o caminho mais adequado. Porque, vez ou outra, o fácil é apenas um atalho e nem sempre o fácil é o certo.

Em vários momentos, o fácil é apenas o caminho mais rápido, que não obrigatoriamente leva ao que é mais adequado, ao que é mais necessário, o que é mais decente.

Difícil, sim; impossível, não. Algumas coisas se colocam em um patamar mais complexo, mas com esforço e dedicação, elas podem ser solucionadas.

Ensino a distância

Cada vez mais se fala no ensino a distância em nosso país. Trata-se de uma experiência antiga. Os britânicos foram os primeiros a criar, nos anos de 1960, aquilo que foi chamado de universidade aberta, a Open University, que se fazia pelo rádio ou com apostilas enviadas pelo correio. Hoje o ensino a distância ganha o apoio significativo de novas tecnologias que, com a utilização da web, de sistemas de transmissão de base digital, fazem com que não tenhamos exclusivamente a sala de aula, o espaço da escola como um local de aprendizagem mais significativo. Sabemos que a sala de aula tem um lugar muito importante nessa formação, mas o ensino a distância cumpre várias das tarefas que a escolarização sozinha não cumpria.

Várias pessoas, ao falarem de ensino a distância, pensam exclusivamente naquilo que tem uma base informatizada. Mas o livro, como antes refletimos, foi a primeira forma de fazê-lo. Levar um livro para casa, buscar numa biblioteca, funcionou durante centenas de anos. Hoje há outras maneiras de fazê-lo.

O ensino a distância não exclui a atividade de formação presencial, a necessidade de se estar acompanhando, trocando, convivendo, mas é algo que temos de levar em conta na nossa escola e na nossa educação em geral.

Literatura em forma de marchinha

A marchinha de carnaval pareceria um gênero onde não encontraríamos literatura expressiva. Mas a música popular brasileira tem poemas inacreditavelmente eruditos e belos. Haja vista a obra de Cartola, as músicas feitas com a grande capacidade de Chico Buarque, Vinicius de Moraes. Mas também as marchinhas de Carnaval, que podem parecer uma obra mais solta (e é, de fato, mais frouxa, porque o sentido é a brincadeira de ficar cantando repetidamente), nos anos 30, 40, 50 do século XX eram peças importantes do cancioneiro popular e alegravam os carnavais.

Em 1952, a música que fez mais sucesso no carnaval foi a marchinha *Confete*. Essa música, composta pelo jornalista David Nasser, tem um verso inicial que eu acho memorável como forma de literatura. Tanto que, quando me perguntam qual é o verso mais bonito da música popular brasileira, eu cito aquele que abre essa marchinha: "Confete, pedacinho colorido de saudade".

Olha como é que cabe em poucas palavras uma ideia tão densa.

Confete, pedacinho colorido de saudade, daquilo que se viveu, daquilo que se teve, daquilo que se quer que continue com exuberância.

Filosofia como lenitivo

Há pessoas que entendem a reflexão filosófica como um bálsamo, isso é, como a capacidade de aplacar desventuras, sofrimentos, indecisões ou turbulências. Claro que a Filosofia nem sempre tem essa finalidade por entender-se, a reflexão filosófica, como sendo um modo de produzir mais indagações até do que pensamentos que sejam acalmados.

No entanto, a ideia da Filosofia como lenitivo é uma ideia historicamente colocada.

O dramaturgo inglês William Shakespeare, em sua tragédia *Romeu e Julieta*, no terceiro ato, escreve um verso que vale para o que estamos refletindo: "A Filosofia, doce bálsamo contra a desventura", isto é, aquilo que nos perturba pode ser como um remédio para aplacar certas feridas.

Eu não tenho essa percepção, por entender a Filosofia como a capacidade de sacudir nossas calmas, mais até do que oferecer essa forma de lenitivo, mas não é sempre que a Filosofia funciona como perturbadora de certezas.

Vez ou outra, também acalma.

Admissão do erro

O escritor britânico Alexander Pope (século XVIII) tem uma ideia que nos ajuda imensamente a pensar o lugar do erro dentro das nossas práticas. Ele dizia que "um homem nunca deve sentir vergonha em admitir que errou". O que significa dizer, em outros termos, que hoje ele é mais inteligente do que era ontem. Alguém que é capaz de admitir o erro está indicando que ganhou um nível maior de inteligência. Está, portanto, em um patamar superior ao que estava.

Esta é uma das grandes vantagens da nossa espécie, aquilo que chamamos de consciência, isto é, não só saber algo, mas saber que sabe. Ou, não só não saber algo, mas também saber que não sabe.

Na área da Ciência, a admissão de um erro é decisiva para que haja maior eficácia, maior autenticidade, maior confiabilidade.

Um cientista, um pensador, um profissional de qualquer área que lida com o campo do pensamento precisa ter clareza da necessidade de se preparar para admitir erros.

Não só porque é uma demonstração de inteligência, mas também de decência.

Inovação

Inovação é aquilo que faz com se crie aquilo que não existe, aquilo que faz com que avancemos, que cresçamos nos nossos projetos, nos nossos produtos, no nosso modo de convivência em qualquer instância, que tenhamos presença dentro da vida social.

Para a inovação há um requisito que o mundo acadêmico gosta de lembrar e que nos dá força também para as outras áreas: para ganhar é preciso perder alguma coisa. Não dá para inovar sem deixar coisas para trás. A inovação do conhecimento, do aprendizado se dá quando somos capazes também de desaprender aquilo que sabíamos, não na totalidade, mas alguma parte para que se possa colocar algo novo no lugar.

O escritor francês André Gide, premiado com o Nobel de Literatura (em 1947), escreveu algo que ajuda demais essa reflexão, embora não seja para o campo da Ciência *stricto sensu*: "Não se descobre terras novas sem se consentir em perder de vista, primeiro e por muito tempo, qualquer praia".

O que é preciso para deslocar-se, sair da área de conforto e navegar para outros mares? Aceitar perder de vista, primeiro o lugar e por muito tempo a praia na qual se estava, eventualmente muito cômoda.

A inovação só vem à tona quando nos dispomos a perder algumas coisas das quais já tínhamos convicções, conhecimentos e até ferramentas para ganhar aquilo que não conhecemos, isto é, deixar a nossa praia um pouco para trás, para ir para outras praias do conhecimento.

Estatística

Rejeição à ideia de estatística! Poucos não a temem. Como se fosse apenas algo perturbador, porque são só números e aí fala-se em violência na cidade, o número de pessoas assaltadas ou que estão desempregadas. A estatística está em todos os lugares e algumas pessoas têm rejeição a ela. De um lado, olhando a estatística como se fosse uma quimera, uma fantasia e, de outro, o que é pior, um dogma.

O político britânico Benjamin Disraeli, pensador do século XIX, primeiro-ministro da rainha Vitória, de forma brincalhona, mas, ao mesmo tempo, com certa seriedade, dizia que há três espécies de mentira: "Mentiras, mentiras deslavadas e estatísticas".

Claro que isso é altamente ofensivo para quem lida com o campo da estatística, mas é uma brincadeira que nos leva a pensar.

A ciência precisa da estatística em todas as suas áreas. A estatística não é um dogma que indica algo que é imutável, mas ela representa uma determinada percepção. O século XIX trouxe no campo da matemática o uso da estatística e até agora no século XXI recorre-se intensamente a ela em vários campos: da saúde, da invenção, dos alimentos, das questões sociais, da segurança.

Apesar de certa irritação por vez ou outra manifestada, a ciência precisa também da estatística.

Museu

Uma das coisas mais gostosas em viagens é frequentar museus. Há pessoas que não conseguem compreender que um museu não é um lugar para coisa velha, mas um lugar para coisa antiga. Olha que diferença: quando se confunde velho com antigo, supõe-se que aquilo que está no museu é algo já ultrapassado, descartável, que é preciso ser colocado fora. Ao contrário, lugar de coisa velha é o lixo. O museu é um lugar para coisa antiga.

Na Filosofia, inclusive, há uma expressão muito boa, que é a palavra "tradicional". Tradição é aquilo que vem do passado, tem que ser guardado, protegido, levado adiante. Aquilo que vem do passado e que temos que deixar fora, descartar, colocar de lado, chamamos de arcaico. Arcaísmo é aquilo que já está fora do seu tempo.

Tradição é aquilo que tem que ser preservado. Por exemplo, nas nossas casas, guardamos muita coisa que é tradicional: foto de família, um anel que era de alguém, uma faquinha que um dia pertenceu a um avô, bisavô. Isso tudo para nós é algo que faz parte da nossa tradição, aquilo que segue conosco na história, aquilo que não perdeu vitalidade, que continua firme no nosso dia a dia.

Ao procurarmos um museu, convém lembrar que se trata de um lugar de conhecimento muito especial para olharmos a trajetória humana e, ao mesmo tempo, sermos capazes de uma reverência, de uma admiração daquilo que é antigo, mas que, de maneira alguma, envelheceu.

Poesia e conhecimento

Muitos supõem que poesia não é uma forma de conhecimento, afinal de contas, conhecimento seria aquilo que a ciência trabalha, aquilo que está no campo do experimental, aquilo que está ligado ao pensamento puramente racionalizado e, portanto, a poesia seria inútil.

Para que serve a poesia? No ano de 2012 foi celebrado o centenário de Carlos Drummond de Andrade, que diria: "E agora, José?" Será que poesia é conhecimento? Sem dúvida, conhecimento não é aquilo apenas que está ligado à ciência, é tudo aquilo que nos faz apropriar algo que nos emociona, nos faz refletir, nos faz pensar.

Fernando Pessoa, um dos maiores da Língua Portuguesa, dizia que ser poeta não é ambição: "Ser poeta é a minha maneira de ficar sozinho". Porque a poesia, de maneira geral, seja para quem a escreve, seja para quem a lê, mesmo que não demonstre, é algo que faz com que sejamos capazes de meditar, de pensar um pouco mais, de refletir, de ir para dentro.

Ademais, é necessário também que pensemos se tudo que nós trabalhamos com o conhecimento precisa ser utilitário ou, para se usar uma boa expressão, ser pragmático. *Pragma*, em grego arcaico, é útil. Será que tudo tem que ser pragmático, aquilo que fazemos tem que servir para algo imediato? Claro que não.

Poesia, uma grande forma de conhecimento, nos ajuda a pensar melhor, a existir melhor, a refletir melhor e, claro, ter um prazer imenso em vários momentos, e ir adiante.

Matemática

Uma das áreas da Ciência mais importantes é a Matemática, embora para alguns de nós, na época escolar, só a ideia de uma prova dessa matéria provocava certo calafrio. Claro que tivemos professores ou professoras de Matemática que nos encantaram, que souberam fazer com que admirássemos essa arte, que é o pensamento matemático e que se aproxima imensamente da poesia. Uma área decisiva no campo da Ciência, da pesquisa, da nossa convivência, mas que, por ser absolutamente marcada pela invenção humana, nem sempre foi ensinada como poderia, que seria como uma forma de arte.

Afinal de contas, o pensamento matemático tem uma beleza imensa, e, mesmo assim, nem sempre conseguimos que ele nos envolvesse na escolarização, o que leva algumas pessoas, até hoje, a olharem a Matemática com um certo horror.

Essa arte teve no Brasil um grande divulgador, uma pessoa que adotou um pseudônimo ou heterônimo, que poderia ser um árabe, chamado Malba Tahan. O livro dele mais divulgado foi *O homem que calculava*. É quase um romance, com histórias que envolvem pensamentos aritméticos e matemáticos e que são desafios, enigmas, que também nos encantavam. Júlio César de Melo e Sousa, nosso Malba Tahan, é carioca, já falecido, e nasceu no dia 6 de maio de 1895.

Um homem do final do século XIX, que passou parte do século XX difundindo a beleza da matemática, para que ela perdesse aridez, ganhasse forma de desafio e pudesse nos enfeitiçar, no sentido do conhecimento. Matemática vale demais.

Professoras

No Brasil se fala em "Dia do Professor", "sala dos professores", "sindicato dos professores". Mas a quase totalidade das pessoas que atua na educação escolar no Brasil é composta de mulheres. De cada 100 pessoas que têm a profissão docente, 93 são mulheres.

Então, fica estranho, em uma atividade em que a maioria é composta por mulheres, falar em "sala do professor", em vez de "sala da professora", ou em "dia do professor", em vez de "dia da professora". Alguns diriam: "isso é só uma questão do politicamente correto".

Não é essa a questão. É o impacto que tem de levar algumas profissões que têm uma marca essencialmente feminina, dentro do nosso país, e que acabam deixando de lado o reconhecimento da importância daquele gênero para o exercício daquela atividade. Se a maioria é composta de mulheres, é necessário que ou alternemos ou utilizemos uma terminologia que seja agregadora, inclusiva, em vez de excludente.

Porque, apesar de parecer pouca coisa, falar "dia do professor" em uma profissão em que mais de 90% são mulheres implicaria deixar de fora, do ponto de vista de gênero, aquelas que, no seu dia a dia, compõem toda uma trajetória de formação.

Respeito à verdade; quem não gosta?

Necessidade da arte

A necessidade da arte é um livro clássico, de Ernst Fischer, que discute a origem da arte, isto é, por que nós, humanos, na história, fomos fazer algo que não tem, na prática, nada que seja aplicável de imediato?

Nós não comemos melhor, não carregamos mais coisas, não plantamos mais só porque temos um enfeite, algo que ornamenta o ambiente. Inclusive, ele levanta uma história muito curiosa a partir do momento em que o primeiro ser humano fez um vasinho de argila, que serviria para carregar água. Quando terminou o vaso, a argila estava um pouco úmida, e ele pegou um gravetinho e, em torno do vaso, fez um pequeno desenho, mesmo que fosse uma linha ou uma espécie de labirinto.

Grande questão: para que serve aquilo? Não vai aumentar a capacidade do vaso de carregar água, não vai tornar a água mais potável, não vai fazer com que se leve por mais tempo aquilo. Qual é a finalidade de fazer um desenho, de enfeitar, de ornamentar?

Talvez aqueles a quem Nelson Rodrigues chamava de "os idiotas da objetividade" dissessem "isso nada serve".

Mas, ao contrário, a arte tem uma serventia muito grande. Serve para que sejamos capazes de produzir beleza, assim como um teorema tem beleza, assim como um texto poético ou um texto científico tem beleza, também a arte nos leva a sermos capazes de deixar nossa marca, a nossa impressão dentro das coisas.

A arte nos marca para que marquemos a vida.

Pergunta

Confúcio, pensador oriental do século V a.C., dizia que não procurava saber as respostas, mas compreender as perguntas. É comum que as pessoas, de maneira geral, achem que temos de nos dedicar apenas a procurar as respostas. Não necessariamente.

Há algumas áreas do conhecimento que se dedicam a pensar melhor as próprias perguntas. "Mas o que importa é a resposta." Nem sempre. Porque a capacidade de formular boas perguntas, de entender a agudez e a profundidade que uma pergunta precisa ter, pode, sim, conduzir a respostas que sejam mais decisivas, mais importantes e muito mais significativas para nossa vida.

Tanto perguntar quanto responder têm seu lugar no campo do conhecimento, embora algumas áreas se dediquem a fazer mais perguntas do que a encontrar as respostas – é o caso da Filosofia, não só ela, mas especialmente ela.

A ciência, exceto a que trabalha apenas com a expressão conceitual e teórica, procura mais as respostas. Isso nos ajuda na vida prática, mas algumas áreas vão em busca de perguntas, como a Filosofia quando questiona "De onde viemos?, "Para que isso?", "Qual a origem do mal?", "Qual a finalidade do que fazemos?", "Será que temos esperança?"

Essas são grandes perguntas e a ciência e outros saberes, sem dúvida, nos ajudam nas respostas.

Conhecer e esquecer

Parece até contraditório, porque todas as vezes que se pensa no esquecimento se imagina que é a perda do conhecimento, a perda da informação, a perda da capacidade. Há um professor da Universidade Federal do Rio Grande do Sul, nascido na Argentina, mas que vive no Brasil, chamado Ivan Izquierdo. Ele é médico especializado em neuroanatomia, neurologia, e publicou obras muito boas sobre o tema. Uma delas fala sobre o papel do esquecimento na preservação da saúde mental, isto é, a necessidade de não guardarmos tudo o que acumulamos na nossa trajetória.

Há coisas que precisam ser esquecidas, seja porque podem carregar algo que nos influencie negativamente, seja porque elas ocupam inutilmente parte da nossa atividade neuronal.

Dessa forma, conhecer também é ser capaz de esquecer algumas coisas. O escritor francês Honoré de Balzac dizia que "esquecer é o grande segredo das existências fortes e criadoras", porque quem é capaz de deixar para trás aquilo que talvez já não sirva mais, inventa, reinventa, refaz e inova.

Há sim um lugar para o esquecimento (seja na saúde mental do ponto de vista psicológico, descartar aquilo que não precisamos carregar mais porque nos amargura); seja do ponto de vista cognitivo (para que não fiquemos guardando o que não tem mais necessidade); seja até pela possibilidade de, deixando ideias que não servem mais, sermos capazes de inventar e de utilizar aquelas que terão, sim, agora, bastante uso.

Hábitos

Nós, no campo do estudo, da Ciência, da Epistemologia, que é a própria teoria da Ciência, nos dedicamos a olhar o quanto que o hábito pode obscurecer a nossa capacidade crítica. As coisas feitas por hábito podem ficar privadas da capacidade crítica, de reflexão, de peneirar o que serve e o que não serve num determinado contexto.

Temos uma certa tendência aos hábitos, porque eles nos dão conforto, são familiares. Há pessoas, por exemplo, que dormem do mesmo lado da cama há 10, 20, 30, 40 anos. E até quando viajam, mesmo estando sozinhas numa cama larga, procuram aquele mesmo lado. Tem gente que senta no mesmo lugar à mesa para comer por décadas. Chega uma visita, senta no lugar dela e ela nem come direito naquele dia porque muda a paisagem, muda o lugar.

O hábito pode funcionar de um lado como algo que nos dá alguma perícia, alguma habilidade por conta da prática, mas também pode nos imobilizar. E hábitos são difíceis mesmo de largar.

Mark Twain, escritor norte-americano do século XIX, dizia que "nós não nos livramos de um hábito apenas o atirando pela janela afora. É preciso fazer o hábito descer as escadas degrau por degrau".

Não é fácil tirar um hábito, especialmente quando está grudado dentro da gente. Se ele for negativo, como dizia o Mark Twain, tem que descer degrau por degrau empurrando. Quem imaginar que jogou fora e ele saiu, não é assim.

Hábitos são formas fundas de ancorar.

Ilusão de ótica

Várias das coisas do nosso dia a dia trazem um conhecimento que nos induz a pensar numa determinada direção. Por exemplo, como o mapa-múndi de maneira geral nos é mostrado em uma forma retangular, estamos habituados a olhá-lo dessa maneira e ver, de um lado, o Oriente e, do outro, o Ocidente. Mas esquecemos que o planeta é redondo e que estas partes se conectam.

Até 1991, olhávamos no mapa e víamos os Estados Unidos do lado esquerdo do mapa e a então União Soviética do lado direito. Tínhamos a ideia de que eram países absolutamente distantes, mas a Rússia e os Estados Unidos são separados por 70 quilômetros, na região do Alasca, pelo Estreito de Bering. Uma distância menor, por exemplo, do que São Paulo a Campinas ou de Recife a Caruaru. Ao olharmos o mapa de um jeito quadrado, acabamos ficando com a cabeça quadrada.

Nós falamos tanto no Brasil sobre a importância dos estados. Que estado é maior em termos de território, Piauí ou Pernambuco? A tendência é dizermos: "é claro que é Pernambuco", e não é. O território do Piauí é maior do que o de Pernambuco.

Por que somos levados a ter uma posição que não é correta? Porque Pernambuco é um estado que sempre teve um destaque maior. Isso conduz a um pensamento específico.

E, nesta hora, cautela com o preconceito e visão distorcida.

Experiência

Precisamos pensar o que é um especialista, uma expertise, num mundo de vida apressada. É costumeiro se ter pressa em conseguir as coisas, em obter conhecimento, em obter experiência. Nessa hora, vale a ideia da experiência como um tempo que alguém vivencia praticando algo com intensidade.

O pintor francês Renoir, certa vez estava fazendo um quadro em público, numa praça. Em cinco minutos desenhou um quadro maravilhoso. Um jovem, com vinte e poucos anos, estava ao lado dele e disse:

– Professor, o senhor, que é um mestre nessa arte, poderia me ensinar a pintar?

– Claro.

– Só que eu queria pintar como o senhor, queria fazer este quadro deste modo, em cinco minutos.

– Olha, gastei cinco minutos para fazer este desenho, mas demorei 60 anos para conseguir isso.

Há pessoas que parecem que desenham, falam, escrevem, operam, cozinham com uma facilidade inacreditável – e o fazem com muita velocidade. E alguns, olhando de fora, imaginam que aquilo aconteceu daquele modo naquele momento.

Não, a experiência vai sendo construída no tempo. Posso até fazer um desenho, escrever um poema, talvez em cinco ou dez minutos. Mas, sem dúvida, isso resulta de uma experiência acumulada por anos ou por décadas. A experiência vem de uma vivência intensa.

Maravilha como fonte

Ao nos depararmos com uma paisagem, com uma ideia, com uma imagem, com um quadro, com uma obra, com um objeto, nós ficamos maravilhados. Aquilo nos coloca em estado quase de estupefação.

A maravilha, por produzir em nós um espanto, provoca também dois movimentos. Ficamos maravilhados com aquilo que não conhecemos, portanto a maravilha tem origem na ignorância. E também ficamos tentados a refletir, a ultrapassar, a ir adiante. E aí há a possibilidade do saber, do conhecimento, de uma nova capacidade a partir desse encontro.

Por isso, alguns dizem que a maravilha é filha da ignorância porque resulta de um desconhecimento, de algo que não tínhamos conhecido ou reparado.

Mas a maravilha é mãe da sabedoria, à medida que faz com que, admirados, tomemos impulso e fôlego para a produção, a criação de algo que, ao nos dar vitalidade, nos faz crescer.

Ser capaz de assombrar-se, de não perder a possibilidade da admiração, recusar o que faz com que nosso olhar fique monótono; tudo isso nos eleva a percepção e a inventividade.

O saber presente na música

Música é também distração, uma forma de preencher aquilo que à nossa volta está e que nos direciona à beleza, à meditação, à profundidade. Algumas pessoas são preconceituosas em relação a certos tipos de música, lembrando que é uma questão de emoção e de escolha. Mas a música boa é aquela que nos encanta, nos emociona.

Há músicas de que eu não gosto, mas não significa que não tenha valia para quem se emociona com ela, para quem a aprecia. Essa cautela com o preconceito é necessária para olharmos também a música como uma forma de conhecimento.

Há um saber presente na música, porque ela nos faz meditar, nos faz refletir, nos faz viajar no tempo, nos lugares, na nossa história, além de produzir aquele tipo de sensação estética que nos emociona. Como diriam os latinos, *emovere*, aquilo que emociona, aquilo que mexe com alguém, que faz com que alguma coisa em nós tenha agrado. Se a música não for do nosso agrado, ela nos agride, nos ofende.

O escritor francês Victor Hugo, do século XIX, com certeza entendia disso ao afirmar que a música "é um barulho que pensa". A música é um ruído que pensa.

Cuidado, não é ruído no sentido negativo, mas no sentido daquilo que muda o modo de pensar.

Linguagem da ciência

A linguagem da ciência tem algumas peculiaridades que, vez ou outra, atrapalham até a comunicação. Seria comum imaginar que um químico, ao ver duas pessoas se beijando, dissesse que aquilo é uma permuta interpessoal de unidades calóricas. Ou o médico, em vez de dizer que está sem apetite depois de comer, falar que está com alcalose pós-prandial ou anorexia pós-prandial. Existe uma linguagem na ciência que é muito própria, quase exclusiva.

E uma das palavras mais curiosas no campo da Ciência é "lemniscata", que, em latim, é aquela faixinha em forma de hélice, que parece um 8 deitado. É o símbolo do infinito. Interessante que esteja ligada à ideia de 8, que vai e volta sem término.

A noção do infinito, embora incompreensível do ponto de vista lógico, pode ser simbolizada pela ciência. Identificamos aquilo que só pode ser imaginado, como o infinito, ou criar um símbolo para aquilo que não existe, para a ausência, como o zero.

Isso é alvo da criação humana, da nossa força de construção de um pensamento que procura explicar, trabalhar e agir dentro da realidade.

Isso é, sem dúvida, ciência.

Criança

Criança. Criançăo. Criação. Essa proximidade sonora não é casual. Criança é aquela que ainda está sendo criada, que está em processo de formação. Mas cabe aí uma questão: Quem não está? Isto é, quem não está em processo de formação continuada? Quem não está em processo de constituição dos conhecimentos, das informações, das competências, das habilidades? Quando chamamos alguém de criança, estamos nos referindo a alguém numa determinada faixa etária ou, quando o caso é acusativo, supondo que aquela pessoa não tem maturidade.

A legislação brasileira, no campo do trabalho, até estrutura a possibilidade de se ter alguém menor de idade registrado e, dessa forma, possibilitar algumas formas de acesso ao mercado de trabalho. Esse é chamado de "menor aprendiz". Em alguns momentos eu me apresento, dependendo da informalidade da situação, como um "maior aprendiz". Isto é, alguém que, não sendo mais menor, no sentido legal do termo, continua aprendendo.

Quem não é um maior aprendiz, isto é, quem não está sempre em processo de aprendizado? Por isso, quando pensamos em criança como aquela que está sendo criada, nós o estamos – homens e mulheres, em qualquer idade, em qualquer tempo, em qualquer lugar.

Afinal, a nossa vivência é a nossa grande escola, a nossa grande academia de constituição, nosso grande lugar de aprendizado e de ensinamentos e, ao mesmo tempo, de partilhas, do que nos forma, do que nos faz, do que nos eleva, do que nos constitui.

Maior aprendiz, menor aprendiz. Todos e todas o somos.

Brincadeira

Brincadeira, aquilo que chamamos tecnicamente de lúdico. O *homo ludens*, o homem que brinca. Essa é uma clássica definição no campo da Filosofia.

O pensador Johan Huizinga trabalhou muito essa percepção, ao definir o humano como um ser que brinca. Mais do que ser um *homo sapiens*, um homem que pensa, é um homem que brinca. Afinal de contas, se há uma característica muito forte nos mamíferos, considerados superiores na ciência – especialmente primatas, como é também o nosso caso – é a capacidade de brincar. O brincar é um indicativo de inteligência.

Se, em algumas situações, a expressão "tá de brincadeira?" pode parecer ofensiva, dentro da escola sabe-se o quanto a criança aprende brincando. Brincadeira é coisa séria. Claro que a seriedade da brincadeira vem do fato de ela não ser desprezada.

Uma criança de 4, 5 anos não imagina que é um super-herói. Ela é um super-herói. Ela não imagina que está voando. Ela está voando. Isto é, a imaginação faz com que haja uma modificação no modo de conhecimento, de percepção. Evidentemente, essa distinção entre brincadeira e realidade vai-se desenvolvendo pelo conjunto da vida, mas o lúdico é um ambiente extremamente propício ao aprendizado.

Aliás, uma parte de nós aprendeu muito no recreio. Recrear, recriar, criar de novo. Não obrigatoriamente tudo o que nos vem, vem da sala de aula. O recreio nos mostrou muita coisa em relação à conduta, conhecimento, comportamento. Portanto, "tá de brincadeira?" é, sim, coisa séria demais!

Compensação de misérias da vida

A palavra "miserável" nos traz alguma misericórdia, alguma pena. A expressão "a vida vale a pena" supõe a existência de alguma penalidade, de alguma imposição negativa. O filósofo Voltaire, um dos grandes pensadores do Iluminismo francês, dizia que, para compensar as nossas misérias, os deuses nos legaram duas coisas: o sono e a esperança.

O sono porque nos faz repousar e desligar das agruras do nosso cotidiano. Nos faz sair de algo que seria muito intenso e dificultoso se ficássemos despertos e conscientes por 24 horas. Já a esperança é a crença na possibilidade da melhoria.

O filósofo alemão Immanuel Kant acrescentou ao sono e à esperança de Voltaire, o riso. O riso como uma das dádivas divinas para compensarmos a miséria da vida. O riso, ao nos tirar do sério, nos faz repousar, descansar ou, usando uma expressão mais antiga, desopilar, fazer com que a bile, que estava circulando na área do fígado e vesícula, saísse e movimentássemos os nossos fluídos, os nossos humores com maior intensidade e alegria.

Riso, esperança e sono.

Simpósio

Simpósio é uma palavra com a qual convivemos na área acadêmica. Somos frequentemente convidados para simpósios, seja para expor temas, seja para ficar na audiência. *Symposion* é uma expressão que veio para nós do latim, mas ela tem uma outra origem no grego, que é *sumpósion*. Platão, pensador do século IV a.C., tem uma obra com esse nome: *Sumpósion*, que foi traduzida para o português como *O banquete*, o que não é tão adequado, porque o banquete no nosso idioma é uma refeição lauta, com muito exagero, enquanto *sumpósion* era algo mais comezinho, que vinha depois da refeição. A expressão *sumpósion* significa "beber junto".

Quem diria que simpósio é juntar-se para beber? Ao final de um banquete, os homens da aristocracia no mundo grego clássico se juntavam para conversar, trocar ideias, pensar juntos, e isso passou para o latim e para o nosso idioma.

Num dia da semana, você diz: "Vou para um simpósio". E a pessoa acha que você vai para um debate acadêmico, na prática, podemos pensar num momento em que se vai para realegrar, conversar, tomar alguma coisa junto. "Vou para o simpósio."

Dá até para desviar do sentido original, mas continua provocante.

O encantamento do mundo

Em uma sociedade como a nossa, de base técnico-utilitarista, o sociólogo alemão do século XIX, Max Weber, desenvolveu um conceito bastante apropriado para explicar certos limites: o *desencantamento do mundo*, como a perda de um sentido que vá além das relações causais e racionais.

Quando nos espantamos com as coisas, isso dá um ar místico a algumas situações que vivemos. E esse encantamento do mundo – que tem entre suas forças o aparecimento de religiões ou até expressões de religiosidade, sem que haja uma religião por trás dela – colide em alguns momentos com a ciência.

O próprio Weber chamava a atenção para isso: a ciência, com a sua racionalidade, tirava um certo gosto pelo mundo encantado. Aquela ideia que pareceria um pouco infantil, mas que valeria para qualquer idade.

No Haiti, há um provérbio que irrita pessoas da área das Ciências Sociais, que diz: "Quando os antropólogos chegam, os deuses vão embora".

Não é nenhuma avaliação negativa quanto a essa área especial, que é a Antropologia. Mas é que o estudioso, ao chegar com a sua racionalidade ao lugar, tenta dar razões a coisas que são apenas crenças.

E, por isso, nem sempre encontra ali acolhida. Esse provérbio significa que o encantamento vai rareando. Nem sempre a única maneira de olhar o mundo é a racionalidade.

Autocrítica

Autocrítica é coisa difícil, porque significa "pensar a si mesmo". O sentido original da palavra "crítica" é separação. Fazer uma escolha entre o que serve e o que não serve. Aquilo que tem lugar na nossa ação e na nossa vida e aquilo que não tem. Autocrítica é uma necessidade de conhecer a si mesmo e a capacidade de depurar-se, de avaliar ações, convicções, pensamentos, atitudes. Até em relação às nossas virtudes há a necessidade de se fazer uma autocrítica. Peneirar aquilo que tem serventia e descartar o que devemos deixar de lado. Não é fácil.

O filósofo austríaco Ludwig Wittgenstein, um dos maiores pensadores do século XX, dizia que "você não consegue pensar decentemente se não quiser ferir-se a si mesmo".

O que significa isso? Autocrítica produz ferimento nesse sentido simbólico. Machuca ter que se pensar, ter que se olhar, ter de se perceber incompleto, longe daquilo que se chamaria de perfeito.

Nesta hora, a autocrítica faz muito bem. Não pode ser o tempo todo, nós não somos os melhores críticos de nós mesmos, porém ela precisa ser exercida e traz algum ferimento, mas tem de suportar, e é bom.

Tolerância

Tolerância é uma palavra que se usa muito no dia a dia, em sociedades como as nossas em que o reconhecimento das diferenças é importante. Isto é, a aceitação de que as pessoas – não por serem como são – por não serem como nós somos, não são necessariamente piores. Elas são, necessariamente, diferentes. Claro que podem ser piores ou melhores, mas a diferença é um fato, a aceitação do pluralismo no campo da política, da religião, da paixão clubística nos leva a exaltar a tolerância, que desde o século XVIII vem sendo vista como uma grande virtude social.

Tolerar é aceitar o diferente na condição em que ele está. Eu não gosto tanto da expressão tolerância, porque dá impressão de que ela autoriza alguém a não ser como eu, quase como dizer: "Eu tolero você, mesmo que você não seja como eu; tudo bem, que você não é tão inteligente..." Essa tolerância é um pouco arrogante desse ponto de vista.

Eu gosto mais de outra expressão: acolhimento. Em vez de tolerar alguém, seria melhor que eu acolhesse, que significa receber em mim a ideia de que a outra pessoa não é como eu, mas isso não significa que ela é pior, que ela é exótica. Ela é apenas diferente.

Acolhimento é uma abertura da mente. E a mente inteligente está sempre aberta para trazer para dentro de nós a possibilidade de se interessar por aquilo que não é como nós somos ou como já sabemos.

Eu prefiro a ideia de acolhimento à de tolerância.

Gírias

Algumas gírias que certos jovens falam no dia a dia têm um sentido intrigante para alguns de nós, que temos mais idade. É muito comum um jovem dizer: "Isso aí é irado". Mas a expressão ira não é usada no sentido de raiva, mas no sentido de positivo. Tal como a minha geração dizia que alguma coisa era legal, mas não como aquilo que estava dentro da lei. Inclusive, em vários momentos, legal não era o que estava dentro da lei. Era, usualmente, também o "ilegal".

Outra expressão do jovem em diálogos no dia a dia é "bizarro". Essa é a ressurreição de uma palavra antiga, porque bizarro, querendo dizer que é estranho, algo sem elegância, existiu em outros tempos. E agora voltou com força e sem que a literatura obrigatoriamente a tenha trazido à tona. Com o tempo até se incorporou, a partir dos quadrinhos que vieram do Oriente, os mangás, a ideia de um mundo bizarro, uma pessoa bizarra retomou àquele sentido de 20, 30 anos atrás.

Embora no italiano *bizarro* signifique furioso, e no espanhol, em vários momentos, *bizarro* é aquilo que tem uma elegância, um certo estilo, para nós, nem sempre. Voltou agora no sentido de estranho.

Como idioma é uma coisa viva, vamos vivendo com ele e aprendendo.

Superstição

Superstição, coisa séria ou mera diversão? As duas coisas. É muito difícil imaginar que algum ou alguma de nós não tenha uma superstição. O que é uma superstição? É uma crença de que existem sinais, forças, movimentos que não dependem de nós, humanos, que estão agregados a algumas potências, com poderes sobre os quais não temos controle completo e, até para controlá-los, temos de nos relacionar com eles de um modo que se aproxima da magia, daquilo que é místico e mítico também.

Isso tem origem em toda a nossa tradição na história humana. Nós, um ser frágil, que teve de sobreviver à custa do seu próprio corpo e inteligência na mudança da nossa espécie nesses milhares e milhares de anos. Isso nos fez – por não compreender algumas coisas da natureza, desde um raio, um nascimento, um falecimento –, que fôssemos compondo um mundo cheio de sombras, onde haveria potências e poderes capazes de nos proteger e nos ameaçar.

A superstição aparece em vários momentos como sendo mera diversão, na hora de fazer figa, de cruzar os dedos. Mas, para algumas pessoas, isso tem uma marca de seriedade muito grande, seja o bater na madeira, seja se benzer com algum tipo de planta ou não passar o saleiro para outra pessoa sem que esteja colocado sobre a mesa.

Tudo aquilo que compõe o nosso universo em que, não compreendendo todas as coisas, procuramos explicações onde elas podem até não estar, mas, acreditando, parece que estão...

Sã loucura

À primeira vista, parece uma contradição. Até há uma figura de linguagem em português, que chamamos de oxímoro – uma contradição dos termos. Sã loucura. Gosto de trazer à tona um pensamento do educador Paulo Freire, de que existe uma loucura que é sadia. Qual loucura? Aquela que enfrenta o que é óbvio, a comodidade, a incapacidade de algumas pessoas se movimentarem quando é preciso.

Encontramos, no dia a dia, homens e mulheres que parecem heróis e que assim o são chamados. O que é um herói? É aquele que é portador de uma loucura sadia, que faz o que precisa ser feito, mas que nem todo mundo faria. E alguns até diriam depois: "Parece loucura".

O mesmo vale em relação a mulheres e homens que chamamos de santos. O que é um santo ou uma santa, dentro das práticas religiosas ou até sem uma religião por trás? O santo ou a santa é aquele que tem uma loucura sadia. É aquele que enfrenta o que pareceria loucura enfrentar e até se diria que uma pessoa "normal" não faria. Não iria fazer isso, não iria dizer isso, mas que é necessário fazer, quando se quer garantir a autonomia, a integridade, a capacidade de construir o que é decente.

Existe, sim, uma loucura sadia. Pode ser o herói, pode ser o santo, pode ser o anônimo. Mas ela está no nosso dia a dia como aquilo que, ao poder ser feito e tiver de ser feito, o será.

Otimismo x pessimismo

Quando a semana está começando, a encaramos de uma maneira otimista ou pessimista. Alguns dizem: "Eu sou realista. Não sou otimista nem pessimista". Querendo indicar que o realista precisa justificar alguns dos pessimismos que carrega.

O pastor norte-americano William Arthur Ward, que morreu em 1994, foi um grande construtor de máximas. Uma das que eu mais aprecio é: "Para o otimista, todas as portas têm maçanetas e dobradiças. Para o pessimista, todas as portas têm trincos e fechaduras".

Parece autoajuda, no mau sentido da expressão, mas é uma frase que nos ajuda a pensar na grande diferença entre alguém que, ao olhar as coisas, procura o que pode ser feito. Isto é, numa porta vai buscar a maçaneta e a dobradiça, enquanto aquele outro enxerga, não só num primeiro momento, mas o tempo todo, apenas os trincos e as fechaduras.

O pessimista, de maneira geral, procura indicar só os obstáculos, sem admitir a capacidade de ultrapassá-los. E, ao ver numa porta os trincos e as fechaduras, não presta atenção nas maçanetas e nas dobradiças.

Claro que o otimista não pode ser alguém que não enxergue os trincos e as fechaduras, mas ele não fica aprisionado, fixado pelos trincos e fechaduras, busca abri-los.

Isso pode até parecer, digo de novo, algo ligado à má ideia de autoajuda, mas é muito bom pensar que o otimista é aquele que enfrenta, em vez de lamentar.

Absurdo

Parece estranho pensar sobre o absurdo. Mas o absurdo é o que nos movimenta em direção àquilo que não conhecemos, porque produz em nós espanto. Uma vida na qual o absurdo não tivesse lugar seria de uma calma mental, que poderia até nos confortar em relação à capacidade de não ser perturbado pela dúvida, pelo desconhecimento, pela ignorância.

No entanto, o absurdo em várias situações é aquilo que deve ser enfrentado. No campo do Direito, da Ciência, da Tecnologia, é absurdo que não possamos ter uma sociedade sem violência. Não é absurdo tê-la. Existir hoje tal como é, até se compreende. Agora, como não ter? É absurdo que algumas doenças não possam ser enfrentadas.

Quando nós entendemos o lugar do absurdo no nosso dia a dia, ele é um grande obstáculo e, portanto, um objetivo para ser desabsurdado – para usar uma expressão que não existe. Isto é, ser transformado em algo que não produza mais espanto, que não estonteie, que não entorpeça ou que não nos provoque a procurar uma outra posição.

Nosso poeta Ledo Ivo nos lembrava que "o absurdo é o sal da vida", o que dá tempero ao nosso dia a dia.

É claro que o sal tem uma dupla finalidade: serve para conservar, para guardar, permitir que não apodreça e, de outro lado, permite dar certo paladar às coisas, para que não se tornem insípidas, sem sabor.

Uma vida sem o absurdo seria insípida. O absurdo nos espanta, nos estonteia, mas, essencialmente, nos provoca.

O acaso

A música *Epitáfio*, dos Titãs, diz que "o acaso vai me proteger". A ideia de acaso é aquilo que não temos como organizar. Quando estamos entrando no final de semana, gostamos inclusive de pensar: "Amanhã eu não tenho de trabalhar, vou andar sem rumo". Essa era a ideia central no clássico filme *Easy Rider*, andar sem destino, como era usual nos anos de 1960 e 1970, apenas vivenciando as coisas que iam acontecendo, sem planejar, sem pensar, deixando o acaso tomar conta do dia a dia. É uma sensação gostosa em vários momentos se imaginar sem amarras. Sair caminhando, aquele passeio vagamundo, de onde veio até a expressão "vagabundo" para o português. Aquele que vai caminhando sem rumo. Só que, para nós, a expressão vagabundo também tomou um conceito negativo.

Claro que não podemos ter o acaso como sendo o nosso horizonte. Afinal, a Religião, a Filosofia, a Ciência, a Arte seriam impossíveis se contássemos com o acaso como sendo nossa referência.

Mas, vez ou outra, é preciso se entender a ideia, como diria o pensador francês George Bernanos, de que "o acaso é a lógica de Deus".

O acaso é aquilo que faz com que encontremos aquilo que não estávamos vendo e até obtendo prazer em não sermos marcados por um caminho que vai sempre na mesma direção, tal como um trem que não sai do espaço marcado pelos trilhos, chamado de bitola.

O acaso é quando deixamos de ser bitolados.

Calcanhar de Aquiles

Qual seria o calcanhar de Aquiles do próprio Aquiles? Como se sabe, Aquiles, uma figura mitológica do mundo grego clássico que morre na Guerra de Troia.

Essa história é contada em uma obra atribuída a Homero, não é certo que seja dele, chamada *Ilíada*, que vem de Ílion, o primeiro nome daquela região de Troia e seu primeiro rei. A obra narra a história de Aquiles na guerra e do plano dos gregos para resgatarem Helena, que houvera sido raptada por Páris. E Aquiles morre com uma flechada no calcanhar.

Essa expressão "calcanhar de Aquiles" adentra nosso dia a dia em várias áreas, mas o calcanhar de Aquiles foi, de fato, não imaginar que ele tinha um ponto vulnerável, isto é, supor-se seguro.

A melhor maneira de ficar inseguro é achar que já está seguro. A melhor maneira de ficar vulnerável é achar que se é invulnerável, em relação à questão ética, da competência, da saúde, da segurança. O grande calcanhar de Aquiles foi ele supor que ele não tinha o calcanhar fragilizado.

Evidentemente, afora a brincadeira, há uma coisa aí sobre a qual temos que refletir.

Insisto na ideia, insegurança em grande medida vem da sensação de já estar seguro; aquele que supõe que já sabe, que já conhece, que não precisa mais se cuidar, fica fragilizado.

O calcanhar de Aquiles é sorrateiro.

Esperança

Há uma máxima que sempre ouvimos: "quem espera sempre alcança", embora haja uma advertência clássica feita num ditado italiano que diz "piano, piano si va lontano, ma non si arriva mai", ou "devagar se vai longe, mas não se chega nunca".

A ideia de que quem espera sempre alcança tem algo de arriscado: a noção de esperança como espera, como ficar aguardando, ficar na expectativa. A ideia de esperança deve ser ativa. Esperança como busca, como construção, como o intento que se realiza.

Essa máxima de "quem espera sempre alcança" pode passar uma ideia de que basta sentar e aguardar, e as coisas seguirão seu caminho. Não é verdade. Sabemos que há muitas coisas que, se apenas esperarmos, elas não acontecerão.

É preciso trazer a esperança como verbo e não apenas como substantivo. Portanto, o verbo esperançar é ir atrás, buscar, ter persistência, ter paciência, ter resistência, mas, acima de tudo, ter energia para se movimentar na direção daquilo que se deseja.

É preciso esperançar.

Expectativa do ócio

Quando uma semana, ao se iniciar, promete uma situação de parada, de descanso, ficamos com a famosa expectativa do ócio. Desde segunda-feira fica se pensando no que é que vai se fazer. Inúmeras pessoas aproveitam esse momento para programar leituras, "eu preciso ler um pouco mais, preciso estudar algo". E a expectativa do ócio acaba até relaxando mais do que o próprio ócio.

A ideia, o desejo, a ansiedade até por um momento especial, quando cessamos alguns instantes do mundo do trabalho, nos leva a organizar a cabeça de forma a aproveitar aquilo que virá.

Mas tem aí uma encrenca no meio.

Você, por exemplo, na escola, sabe que vai haver um feriado, e começa a desacelerar desde o início da semana. Passa a se dedicar menos, a concentração se reduz e o pensamento parece uma coisa à toa – como diria o compositor gaúcho Lupicínio Rodrigues – e aí ele voa e voa.

A expectativa, vez ou outra, ultrapassa a vivência.

Infantil

A palavra "infante", como dissemos em outra reflexão, na sua origem em latim significa "aquele que não pode falar". Em dois sentidos, aquele que não pode falar porque tem uma impossibilidade ou não o aprendeu e também aquele a quem é negada a fala.

Aliás, na área militar, especialmente nas guerras, se tem uma frente de combate, chamada Infantaria. Na história ocidental, a infantaria era aquele grupo de mais jovens que serviria como bucha de canhão, para usar uma expressão mais antiga. Era aquele grupo que ia tomar a primeira saraivada de tiros. Infantes eram os jovens colocados para enfrentar a primeira formação de inimigos, enquanto mais atrás poderia vir a cavalaria ou a artilharia.

O que isso tem a ver com a noção de escola, de educação e academia? Não são escassas as ocasiões nas quais se infantiliza o aluno ou a aluna. Há pais e mães que infantilizam os seus filhos. Não que o filho não consiga falar, mas a ele é vedada a possibilidade de dizer, de se dizer.

Não é que criança pode dizer qualquer coisa, mas um pai e uma mãe precisam muito cuidado para não infantilizar alguém, isto é, tirar dele o direito também de falar. Não é ter o mesmo *status* que um adulto ou um responsável, porque isso seria uma mistura de papéis.

Mas privar uma pessoa desse direito e dessa forma infantilizá-la é, sobretudo, diminuir a sua completude.

Tempos de vida

É muito comum que passemos uma parte da nossa existência preparando o momento em que a vida será aproveitada, o que chamamos de gozar a vida, isto é, fruí-la.

Numa parte inicial da nossa existência, nós estamos crescendo, criando estrutura hormonal, cognitiva, reprodutiva, de formação e convivência dentro da socialização. Numa outra parte, estamos trabalhando em intensidade, reproduzindo outras pessoas, para aqueles que fazem essa escolha; ou cuidando de outros, como alguns fazem; depois, ao trabalhar de maneira intensa, se diria: "no dia em que eu puder, vou aproveitar a vida".

É claro que esse tipo de adiamento do aproveitar traz um empecilho, que é a espera de algo que não obrigatoriamente virá.

André Gide, poeta e pensador francês no século XX, dizia: "Passamos três quartos da vida a preparar a felicidade, mas não se deve crer que, por isso, passamos o último quarto a gozá-la".

Não é porque nós passamos boa parte do tempo preparando aquilo que seria a felicidade, que, obrigatoriamente, nos últimos tempos, ou seja, "no último quarto", como dizia Gide, que nós vamos então fruir essa vida.

Há a necessidade, no cotidiano, de ir construindo possibilidades para que essa felicidade de fato venha à tona, em vez de imaginar que ela virá no final, como se a "aposentadoria do mundo do emprego" significasse a fruição da vida.

Aproveitar a vida

"Primeiro viver e depois filosofar." Quem já não ouviu essa frase? Ela deriva de uma máxima latina muito utilizada, escrita no original *"primum vivere, deinde philosophari"*. Qual a intenção dessa frase? Sugerir que a Filosofia perturba, não é? Se diria, precisamos primeiro estar vivendo bem, alimentados, com as necessidades satisfeitas, para depois começarmos a filosofar. Claro que a intenção da frase, em última instância, é indicar que a Filosofia está num patamar secundário em relação à vida. Primeiro, aproveitamos, se diria, depois vamos filosofar sobre essas coisas.

Essa frase, *"primum vivere, deinde philosophari"*, foi trazida por Thomas Hobbes, autor inglês do século XVII, que escreveu *Leviatã*. Ele mesmo tinha o hábito de expressar essa ideia: viver antes de mais nada, e, se tempo sobrar, alguma filosofia. Ele colocava a necessidade de sermos mais práticos, assim como variadas gentes colocam a Filosofia como sendo pouco prática.

É um pensamento possível, mas não é obrigatório que assim seja. Algumas pessoas, eu entre elas, achamos que filosofar ajuda também a melhor viver e, portanto, a aproveitar melhor a vida.

Não com exagero, mas com intensidade.

Maldade

Qual será a origem da maldade? É uma discussão muito antiga da Filosofia e da própria Teologia. A Arte e a Ciência levantam a questão: Seria a maldade algo congênito, que está na nossa condição inata, porque humanas e humanos somos ou seria a maldade uma opção?

Religiosos se perguntam sobre a origem do mal. Agostinho, teólogo do século V, perguntava-se sobre isso. Será que, existindo uma divindade, na crença de Agostinho, que criou todas as coisas, criou o mal também? E para que criou o mal, se o mal é algo desnecessário ou, pelo menos, não deveria existir?

Esse debate antigo traz uma outra indagação: Será que a maldade felicita alguém? Existe a possibilidade de se sentir bem por praticar a maldade? Parte da Ciência diz que a pessoa má, em grande medida, está fora do controle, e que algumas maldades são praticadas de maneira incontrolável, pois a pessoa fica fora de si.

No campo ético, o poeta romano do século II Juvenal criou uma frase bastante usada quando se fala em controle, especialmente de governo: "Quem vai vigiar os vigias?" Em *Sátiras*, escreveu algo digno de reflexão: "Nenhum malvado é feliz".

O que nos faz perguntar: Que felicidade pode existir na maldade intencional, deliberada, dolosa?

Coisa

"Coisa" é uma palavra forte na área da Filosofia, porque é uma questão antiga também. O que é uma coisa? Nós, em vários idiomas, usamos a expressão "coisa" para substituir qualquer coisa; de substantivo a verbo. "Pega essa coisa pra mim", "coisa esse parafuso pro outro lado", "coisa essa mesa". E a Filosofia sempre se preocupou com essa percepção daquilo que é universal. Pode até parecer uma preocupação meio vazia, mas ela já deu azo, inclusive, a textos de filósofos de porte. Martin Heidegger, pensador alemão do século XX, tem um estudo chamado *A questão sobre a coisa*.

Afinal, como a gente define a coisa? Que coisa é essa? É a própria coisa. Olha que pensamento completamente abstrato, mas a academia costuma também se dedicar a isso.

E Manuel Bandeira, na sua obra *Andorinha, andorinha*, dizia: "Brasileiro não sabe o nome das plantas, nem das flores, e qualquer objeto chama coisa, troço, negócio". Essa imprecisão irritava Manuel Bandeira.

Em vez de buscar o nome das coisas, usarmos coisa no lugar de qualquer coisa...

Capricho

A ideia de capricho remete à dedicação em fazer o melhor, a chegar a uma forma mais aperfeiçoada. No nosso idioma, a expressão "pessoa caprichosa", não é somente usada para falar de alguém que tem afinco, pode ainda se referir a quem é volúvel e volátil no pensamento e conduta, a alguém que é cheio de "mimimi".

Mas eu estou falando do capricho como a procura daquilo que é melhor, e que precisa ser feito.

O pintor francês classicista Nicolas Poussin, do século XVII, dizia: "O que vale a pena ser feito vale a pena ser bem-feito".

Essa é a própria ideia de capricho, algumas pessoas acatam a banalidade e a superficialidade no que estão fazendo porque acham que tudo bem – "já está bom desse jeito mesmo".

Não, ao contrário, o capricho leva ao aperfeiçoamento da própria vida.

Parcimônia

Ficar na medida certa, evitar o exagero. A palavra "parcimônia" tem um lugar muito importante na área da pesquisa científica, porque parte da metodologia de investigação tem os seus princípios na parcimônia, que se refere à capacidade de diminuir o uso de recursos que não sejam necessários, não colocar hipótese além daquilo que seria cabível, não ultrapassar os instrumentos que se utiliza para determinados tipos de investigação.

Parcimônia é a capacidade de não exagerar. E não se aplica só à Ciência. Há momentos na vida quando, por exemplo, estamos em comemorações, eventos, que a parcimônia em relação à brincadeira, à comida, ao consumo de bebida alcoólica, tem de estar presente.

Até filósofos se envolveram nesta questão. O pensador do século XVI, Michel de Montaigne, em seu clássico *Ensaios*, escreveu algo que tem tudo a ver com a parcimônia: "Se a dor de cabeça nos chegasse antes da embriaguez, nós iríamos nos guardar de beber em excesso".

Essa percepção filosófica ajuda entender o que é parcimônia. Por quê? Para a parcimônia existir é preciso que haja sinais. Um desses sinais, no caso, da ingestão excessiva de álcool, vem depois, e, se viesse antes, ajudaria bem.

Temos mesmo que usar a consciência para podermos ser parcimoniosos, inclusive na alegria da comemoração.

Desarrumação

Quando precisamos de um tempo para arrumar as coisas, a escrivaninha, o quarto, o escritório, aproveitamos o final de semana para essa finalidade. "Não, eu não posso sair. Eu tenho que arrumar minhas coisas".

Arrumação é uma coisa importante no ato de organizar, mas há outra coisa na área do pensamento e nos ajuda bastante, que é a capacidade de desarrumar algumas certezas de vez em quando.

Jean Rostand, biólogo e filósofo francês, do século XX, dizia que "refletir é desarrumar os pensamentos".

Parece contraditório; se imaginaria que a reflexão teria a capacidade de ordenar os pensamentos, mas essa ordenação se dá depois que conseguimos desarrumá-los. Porque a reflexão se propõe a enfrentar algumas certezas que talvez não estejam tão sólidas. É abrir a mente para outras compreensões.

Embora a finalidade da desarrumação do pensamento seja arrumá-lo mais adiante, ainda assim, não se pode descartar a importância da ideia de Rostand.

Refletir é desarrumar os pensamentos, não para deixá-los desarrumados, mas para sermos capazes depois de colocá-los em ordem, mais ou menos como fazemos com um guarda-roupa ou um armário. Tiramos tudo de dentro, colocamos no chão e botamos de volta, organizando de maneira que se possa ter facilidade de localização e manejo daquilo que se usará...

Acuidade espiritual

Não deixar de prestar atenção à árvore apenas porque se está olhando para o conjunto da floresta. Essa é uma definição possível para a acuidade da mente e do espírito.

Existem aqueles que veem só a floresta e não a árvore que a compõe, e outros que veem só a árvore e não enxergam o todo, a floresta. Por isso, aproximar a visão sobre aquilo que queremos pensar e estudar, e afastar-se dela para ter um ângulo mais geral é bastante importante; isso gera acuidade.

O poeta gaúcho Mario Quintana, em sua obra *Espelho mágico*, registrou a trova: "Quantas vezes a gente, em busca da aventura, procede tal e qual o avozinho infeliz, que, em vão, por toda parte, os óculos procura tendo-os na ponta do nariz?".

Ou seja, prestar atenção também àquilo que de nós está perto.

É claro que a visão de longo alcance é importante. Mas é preciso também olhar o que está próximo a nós, para não deixarmos de ter aquilo que, sendo, eventualmente, uma ilusão de ótica, transforme-se para nós em algo mais perigoso, que é a ilusão de uma acuidade de percepção.

Gosto

Gosto ou não gosto? Gosto se discute ou não se discute? Teoria, ciência, lei, norma, é algo a ser gostado ou não ser gostado? Mas o que é o gosto? Isso se discute há séculos, a própria Filosofia tem várias interpretações sobre o que nos afeta, o que nos leva a apreciar ou a rejeitar algo.

Guimarães Rosa tem uma expressão no livro de contos *Sagarana*, que é: "Todo gosto é regra". Significa que quem tem um gosto entende aquilo como uma regra.

A pessoa imagina que só será bom aquilo que estiver dentro desse gosto, e passa a se comportar exatamente dentro do gosto musical, do gosto da alimentação, do gosto de ideias, do gosto estético em geral.

Portanto, a noção de gostar, de apreciar, como sendo algo que é regrado *a priori*, e nem sempre a pessoa consegue dar outros passos.

Uma das coisas mais importantes da vida é que sejamos capazes de mudar de gosto, isto é, ter flexibilidade em relação ao modo como experimentamos o mundo, para que nossas ideias não fiquem reclusas dentro de uma única regra, de um único caminho.

Antecipação

Uma forte característica humana é, em vez de viver uma situação no momento em que ela acontece, ser capaz de antecipar algo que acontecerá. Isso nos traz grandes vantagens no campo do planejamento, mas há uma desvantagem. Nós somos capazes também de antecipar o sofrimento, de sofrermos por antecipação. E esse é um conhecimento que vem de experiências já vividas e nos leva a começar a sofrer por algo que ainda não aconteceu.

Há pessoas que são capazes, por exemplo, de ficar imaginando o quanto vai doer uma cirurgia, ou o quanto vai ser difícil se ela tiver uma doença, ou o quanto vai ser complicado algo que ainda vai acontecer. E esse sentimento que, em tese, estaria num tempo futuro, passa a ser vivenciado desde aquele instante.

O pensador francês Michel de Montaigne tem uma frase clássica: "Quem teme o sofrimento sofre já aquilo que teme".

O conhecimento segue um pouco deste caminho; ele não lida só com aquilo que acumulamos, mas aquilo que já se soube, quando transformado numa vivência, nos leva, eventualmente, a antecipar sensações que podem até ser boas quando vamos fruir o prazer que se antecipa, mas também a dor, o desconforto em relação àquilo que virá.

É parte da nossa natureza, parte do modo como nós somos, mas este sofrimento por antecipação precisa ser lidado para que ele, em vez de ser apenas uma qualidade da nossa capacidade de conhecer, não se transforme num transtorno.

Fim do mundo

Quantas vezes na história se profetizou o término do mundo? Na Filosofia e na Teologia há o termo "escatologia", que se refere ao estudo do fim dos tempos. A escatologia estuda todas as questões relacionadas às crenças de pessoas, sociedades, grupos em relação ao fim do mundo. Por exemplo, os cristãos têm na sua *Bíblia* o Livro do Apocalipse, que fala do fim dos tempos. Desde que se conhece o registro da história humana, há relatos de sociedades que acreditavam no fim do mundo.

A ideia do fim do mundo é de um ciclo que se fecha. Essa visão apocalíptica de que tudo vai acabar, confere um senso de urgência. Está marcada de um lado nas religiões, que dizem "aproveite", no sentido de se render agora às divindades, porque o mundo está acabando e sua alma poderá não ser salva. Outros dizem "aproveite a vida, curta bastante, porque a vida vai acabar". Essa sensação de terminalidade, presente em toda a história, é muito comum. Por isso procuramos documentos secretos, profecias feitas por povos que já não estão mais entre nós, sobre o fim do mundo.

O poeta francês Charles Baudelaire, nos seus diários íntimos, dizia que "O mundo vai acabar. A única razão pela qual ele poderia durar é que ele existe". Só vai acabar porque existe, mas continua existindo.

E achar que há aí uma escatologia escondida é ter senso de urgência sem ter uma visão de futuro.

Férias

Apesar de a palavra "féria" estar ligada à ideia de feira, aquilo em que se tem trabalho, em várias sociedades era o dia de descanso. O dia em que se ia até a feira, para se divertir, comer, brincar e fazer compras – aquilo que hoje seria, em várias cidades, o nosso *shopping center*.

Nós acabamos entendendo férias como a interrupção de um período de trabalho. E alguns pais e mães, no período de férias, mostram um certo desespero, afinal de contas, o que fazer com as crianças e com os jovens? E quando a volta às aulas se aproxima, alguns pais se sentem até mais aliviados pela possibilidade de descansarem um pouco.

Há um ditado britânico antigo que diz que "crianças, quando pequenas, deixam os pais bobos, depois, quando ficam grandes, deixam os pais loucos".

Não é descartável essa ideia. De fato, vários de nós, quando os filhos são pequenos, ficamos meio bobos com o que eles são capazes de fazer. Depois, ficamos meio loucos com o que eles são capazes de fazer.

A frase clássica de pais e mães: "Você está me deixando louco"; aí, o fim das férias pode até diminuir essa loucura.

Ritos de passagem

Na história da humanidade nunca deixamos de ter ritos de passagem, isto é, percepções de que há situações na vida em que ciclos se fecham, seja um fim de semana, fim de ano, fim de século, seja a passagem, por exemplo, da infância para a adolescência; a ideia de casamento, entre outras.

O rito de passagem é aquele que supomos nos preparar para uma nova etapa. Por exemplo, no mundo acadêmico é receber um título, um diploma, a defesa de dissertação ou tese. Nos países ocidentais, comemoramos ritos de passagem especialmente no fim de ano. E para se candidatar à nova condição, é muito usual que em ritos de passagem se use a cor branca. No senado romano se usava, no noivado se usa e na virada de um ano para o outro também usamos o branco. Uma das maneiras de dizer "branco" em latim é *"candidus"*. Quem é candidato precisa demonstrar como cândida a sua pureza, sua disposição para um novo modo de ser, por exemplo, o branco como aquele que recebe todas as possibilidades de outras cores.

Nesse sentido, o branco é a ideia de renovação, seja no mundo acadêmico, no mundo do trabalho, em alguns países até no luto, em que a cor é o branco e não o preto, porque significa a passagem para outra condição.

A nossa ideia é que se acaba e começa de novo, pode e será melhor.

Isso, sim, é boa passagem.

Futuro

Algumas pessoas, quando pensam no que devem fazer para construir e até proteger o futuro, têm como referência aquilo que já foi, não como o que inspira, mas como algo que aprisiona. Em outras palavras, é gente que tem âncoras, em vez de raízes.

Raiz alimenta, enquanto a âncora imobiliza. A âncora faz com que se diga: "Ah, no meu tempo...", "Ah, se eu pudesse...."

E quando chegamos numa época de fazer planos, de organizar o ano seguinte, a capacidade de preparar futuro tem de levar em conta o exemplo do carro. Quem já esteve em um carro, dirigindo ou se locomovendo sabe que o carro tem retrovisor e para-brisa. E deve ter notado, obviamente, que o retrovisor é menor que o para-brisa. Claro! Porque o retrovisor é aquilo que já passou, é referência, não é direção. É por isso que o para-brisa tem de ser muito maior.

Há pessoas que "dirigem" sua vida, sua história, com um para-brisa pequeninho e um retrovisor imenso. Ficam o tempo todo olhando o que já foi, como sendo o modo como as coisas têm de se repetir. E aí não conseguem viver aquilo que virá. São aquelas que leem as mesmas coisas, fazem do mesmo modo, agem da mesma maneira.

Não estou falando de coerência ética, mas de imobilidade mental, ou seja, a incapacidade de perceber que, quanto mais referência se tem do passado, mais clareza se tem da trajetória do que se percorreu e dos cuidados que precisam ser tomados.

Passado é referência, não é direção. Cautela para não aumentar demais o retrovisor.

Felicidade como liberdade para recusar

A ideia de felicidade acolhe muito mais a percepção de algo que podemos ter, vivenciar como possibilidade de propriedade. Aquilo que me possui por um sentimento, por algo que me ofereceram. Quase sempre, a ideia de felicidade vem como presença, raramente nos vem como possibilidade de ausência.

O pensador genebrino Jean-Jacques Rousseau dizia: "A espécie de felicidade de que preciso não é tanto a de fazer o que quero, mas de não fazer o que não quero".

Felicidade: não só fazer o que se quer, mas é também não fazer o que não se quer fazer. Há um vínculo entre liberdade e felicidade, sabemos que felicidade não é um estado contínuo, mas uma situação que pode surgir. Uma delas, que pode nos deixar numa alegria intensa, é poder dizer "não" àquilo que não se quer fazer.

Por isso, é impossível desvincular felicidade de liberdade. A liberdade de ação, a liberdade de pensamento, a liberdade de culto, a liberdade do afeto.

Essas liberdades nos permitem retirar de nossa cena aquilo que não queremos; elas nos oferecem condição para que essa felicidade, um momento de vibração, pode despontar.

Felicidade não é só a presença daquilo que se quer, mas também a condição de recusar, dizer não, afastar aquilo que não se quer.

Conecte-se conosco:

facebook.com/editoravozes

@editoravozes

@editora_vozes

youtube.com/editoravozes

+55 24 2233-9033

www.vozes.com.br

Conheça nossas lojas:

www.livrariavozes.com.br

Belo Horizonte – Brasília – Campinas – Cuiabá – Curitiba
Fortaleza – Juiz de Fora – Petrópolis – Recife – São Paulo

EDITORA VOZES LTDA.
Rua Frei Luís, 100 – Centro – Cep 25689-900 – Petrópolis, RJ
Tel.: (24) 2233-9000 – E-mail: vendas@vozes.com.br